中学生のための読解力を伸ばす魔法の本棚

麻布学園国語科教諭
中島 克治

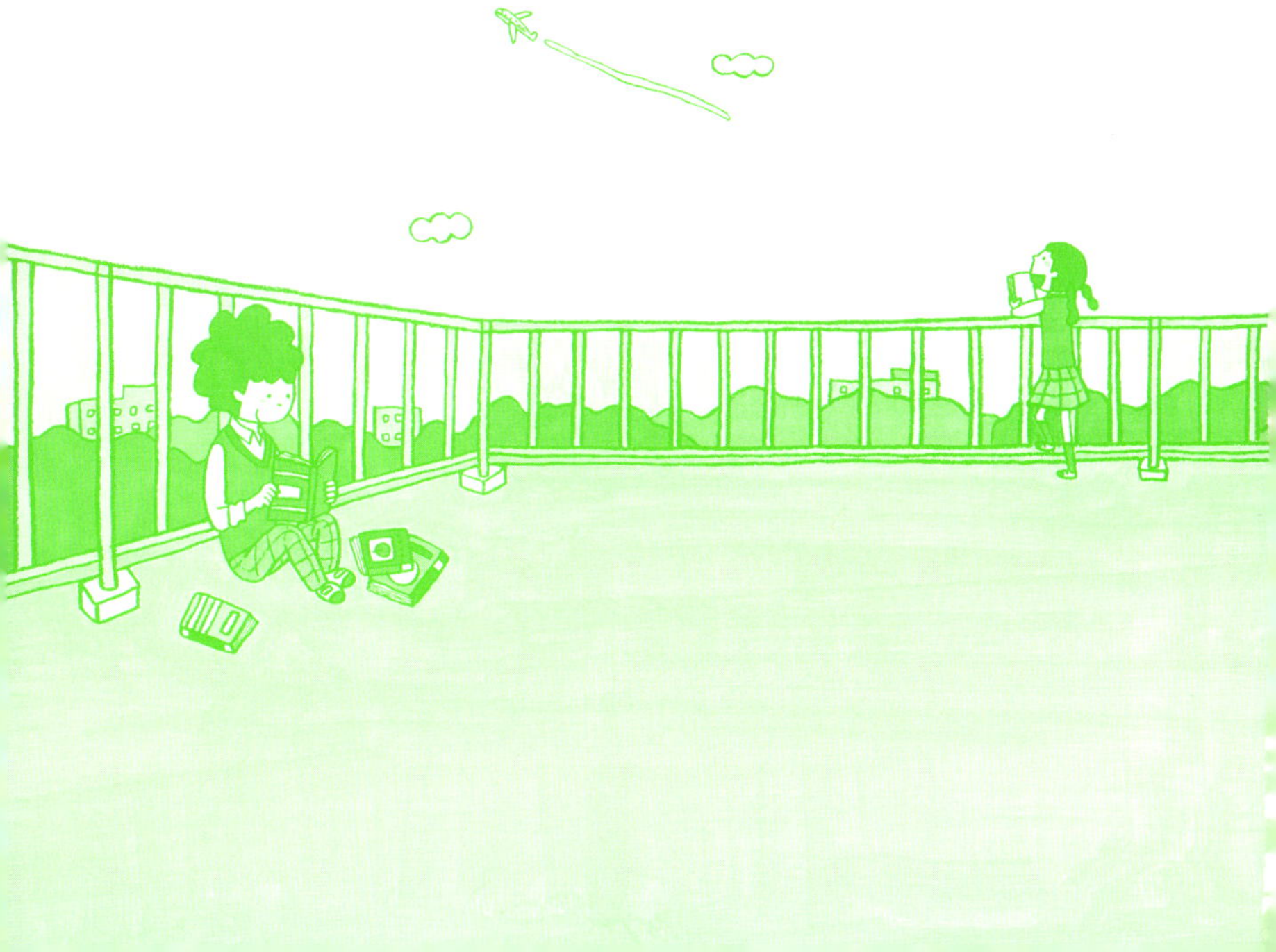

中学生のための読解力を伸ばす魔法の本棚

はじめに

みなさんは、中学時代をどのように思い出しますか？
運動場で白球を追いかけていたことは憶えているが、それ以外のことははっきり思い出せない、などという方もいらっしゃるのではないでしょうか。

小学校高学年から中学生にかけて、心身ともに、子どもたちは本当に見違えるほど成長します。中学に入学すると、本格的なクラブ活動に夢中になります。生徒会という新しい組織や活動に参加することもあります。そして、放課後はそうした活動に多くの時間を費やし、友人や先輩・後輩と深く交わります。

中学校時代はとてもめまぐるしく、あわただしいもの。公立中学校の多くでは、たった三年足らずの後には、高校入学試験を迎えることになります。中学校での授業も小学校に比べて格段に難しくなり、公立私立を問わず、高校受験のあるなしを問わず、ほとんどの者たちが勉強の大変さに苦しむときでもあります。

小学校のころの、純真で単純な自分ではもういられなくなり、押し出されるように中学生にはなったものの、〈理想の自分〉へ向かうための海図も方位磁石もなく、もしかすると〈理想の自分〉さえ見つからない状況の中で、人知れず、日々悪戦苦闘を強いられる時代…実は中学生とは、このようなときなのです。

しかし、その後の高校・大学生活、そして就職活動などを経て社会へと旅立っていく基礎が、いわば無自覚なまま、中学校時代に築かれるのです。

さて、時代は違うものの、私たちの子どものころと、今の子どもたちとの間に、変わらぬものが確かにあります。それは、理想を強く追い求める気持ちと、希望を持ち続けるひたむきさ、そして、本の存在です。

私たち大人は、思春期に本を読み、自分たちの心やものの見方を養ってきたはずです。学力もそのような中で培われてきましたし、社会や世界との接し方も学んできました。それに引き換え、彼らは本の真の価値にまだ気づいていないことでしょう。

しかし、私たちは読書のすばらしさを確信しています。今からでも子どもたちと本の架け橋となれないでしょうか？

中学生までは、まだ親にしてやれることがあります。どんなに突っ張る子どもたちでも、自分たちの傷ついた心への親からのアプローチを強く望んでいるのです。でも、あまりに直接的な、そして説教ベースの対応では、彼らの求めに応えたことにはなりません。

一方、本は子どもたちのささくれだった心に、諄々《じゅんじゅん》とはたらきかけてくれます。本の中の言葉に耳を澄ますことで、子どもたちは自分を取り戻し、周囲を冷静に見つめ直すことを学ぶのです。一般的に中学生は本を読まないと言われますが、飢え乾ききった彼らの心に最も必要なのは、まさに本であり、読書なのだと、私は思います。

私たちは、扱いにくいこの時期の子どもたちとあえて向き合うことで、いつしか忘れてしまった私たちの原点に、もう一度立ち返れるのかもしれません。そして、親子で力を合わせ、この暗中模索の思春期を乗り切ったとき、真の親子の絆が誕生するのではないでしょうか。

装丁・デザイン　清水肇（プリグラフィックス）
イラスト　江田ななえ
編集協力　竹中裕子

第1章

中学生は大変だ！

中学生はこんなに大変！　なぜ扱いにくくなるのか

思春期の子どもの反抗にどう対応したらいいのかわからない……。わが子の反発に戸惑い、どう接していいか悩んでいるお母さんは少なくありません。小学校高学年ころからの子どもは実に扱いにくくなります。何かと反抗的な態度を取りますし、なかなか親の思い通りにいかなくなってくるでしょう。実際、親の言うことにはすべて反発する時期です。

中学生になると、多くの子どもたちは肉体的な成長が顕著になります。身長が伸びて、男女とも体つきが変化します。それと同じくらい大きな変化が内面でも起こります。私が生徒たちと接する中で感じているのは、どんな子でもものごとに対する理解が深まり、ものの見方や考え方が多層的多角的になっていくということ。そして飛躍的に「語彙《ごい》」が増えるということです。とくに中1から中3にかけての成長ぶりはダイナミックです。

これは私が実際に経験した、理解力の伸びを感じさせるエピソードです。授業であることがらを説明したところ、生徒たちの多くはきょとんとするばかりで、明らかに言われた内容を理解していませんでした。ところが1週間ほどしてから、同じ内容を話して聞かせると（多少言い回しは変えましたが）、今度はほとんどの生徒たちが理解できているのです。たった1週間で理解力が格段にアップするのですから、その成長ぶりには目を見張るものがあります。

ものごとのとらえ方も多様になります。小学校のころはこちらからの問いかけに対して、オウム返しの答えや、言葉遊びレベルの応答にとどまるなど、ごくシンプルな受け取り方、答え方をするものです。ところが中学生になると、使える言葉も理解できる言葉も格段に増えてくるので、質問や働きかけに対し、飛躍した返答をしたり、明らかに考え抜いたひねりを利かせた発言をしたりと、反応の仕方にバリエーションが出てきます。

その上、状況や気分などによって複雑に考えて受け取り、ときに予測もつかないような反応を示すのでややこしいのです。ですから、話しかけてもすぐに反応しないこともあります。考えすぎてしまい、どう反応していいかわからないから黙っているだけなのですが、親にしてみれば「なんでそこで黙ってしまうの？」と、わが子の「鈍さ」にいら立つことになります。

また、お母さんにほめられれば、思春期の子どもは「ほめられて嬉しい自分」と同時に「親にほめられたぐらいで嬉しいのか」という思いも同時に持ってしまうので、無視したり反抗的な態度に出たりというわけです。

このような子どもの「精神的な部分の更新」は目に見えるものではないので、親は小学校のころと変わらない調子で接し続けます。しかし子どもは内面が急速に成長していますから、現在の自分が理解されていないことに反発したり、親を軽蔑したりするのです。

親に反抗するのはなぜ？

親に反発する理由はまだあります。それは「親の言っていることは仲間うちでは通用しない」ことに気づき始めるということです。たとえば部活動など仲間で何かを決めるとき、少し押しの強い子が「オレやりたい」と主張して、まわりが「じゃあそうしようか」と流されることはよくあります。本来、集団で何かものごとを決めるときは「協議をして民主的に決めるべき」であり、ほとんどの親はそう教えているはずです。ところがこのルールが友だちの間では通用しないのです。

それまで親が「こうしたら幸せになる」と教えてくれたこととは反対のことをして楽しくやっている仲間を見ると、親の教えに従うことがどんなにかバカバカしく思えることでしょう。このような経験を重ねるうちに、もののごとのすべてが親の言っていることとは反対に見えてきます。今まで教えてもらったことはまるで通用しないし、もし自分が親の教えにとらわれていたら、友だちとの関係が失われてしまうとさえ感じるのです。

もちろん、それまでの家庭教育を通して、親の価値観は確実に染み付いています。しかし親の価値観を強化していけば、仲間とうまく付き合うことができなくなりますし、自分の中に親の生き写しができてしまう恐怖さえ覚えるのでしょう。親のコピーでは嫌だ、コピーでは自分の考え方が作れないという怖れもまた、親への反発要因の一つなのです。

親は無意識にわが子に「ふた」をしている

あまりにも反発ばかりするので、「親を憎んでいるのではないか」とさえ思うことがあるでしょう。しかし子どもは本心から親を嫌っているのではありません。殻から出ようとしているのに、親が「ふた」をしようとするので「やめてくれ！」と反発せざるを得ないのです。悪い方向へ行ってしまうのではないかと心配する気持ちはわかりますが、頭ごなしに「ふた」をすればより強く反発されるだけ。子どもを信用してやりたいようにやらせてみてください。

私は「ふた」をするような子育てではなく、「進むべきと考えるレールを敷いて、意見を言う」程度の関わりがよいと思います。ある程度の方向性を示すと、子どもはその考え方を軸にして「自分なりの考え方の基盤」を作ることができます。思春期の子育てには、このような程よい距離感がカギになります。

とはいえ、「うちは子どもの意見を尊重しています」と言う人がいますが、一歩間違えると「子どもの言いなり」になりかねずこれもまた問題です。最近では幼児に対してさえ「習い事は何がいい？」「何時に帰ろうか？」などと意見を求める保護者もいるとか。子どもともめるのが面倒くさいので、子どもに判断を求めて言う通りにしているのでしょうか。いちいち子どもに意見を求めるという接し方は、自主性を養おうと考えているからなのでしょう。しかし、やりすぎはかえって子どもを困らせ「何でもいい」「お父さん、お母さんは何がいいの？」と言わせることになり、結果的に自主性を奪うことにもなります。

思春期の子の意見を尊重するには、まず親が「お母さんはこう思うのだけど、いいかしら？」というようなアプローチがおすすめです。子どもが「嫌だ」と言ったら、そこから話し合えばいいのです。頭ごなしに親の考えを押し付けてはいけません。中学生は日々成長しているのですから、「親は子どもより常に正しい」という考えはこのあたりで捨てましょう。成長するわが子と同様、親も変わっていかなければならないのが思春期なのですから。

子どもに自分で考えさせる

親は子どもが少しでも悪い方向へ行きそうになると先回りしてサポートしたくなるし、方向がずれてしまったら大急ぎで修正したくなります。しかし、親が与えたことはすべて拒絶する時期ですから、ほとんどは反発され失敗に終わるでしょう。それより、ここは子どもに考えさせるチャンスととらえてはいかがでしょう。

私の知り合いのある家庭での話です。両親は二人とも英語が堪能で、一人娘にも当然のように英語を勉強させたいと考えていました。ところが思春期を迎えたころ、本人は声優を目指したいので専門の学校に通いたいと言い出したのです。両親は動揺しながらも「学校には行かせてあげよう。そのかわり成績はいい状態を維持すること」と約束させました。その子はその条件をしっかりと守ったそうです。

この場合よかったのは、子どもに考えさせたことです。親との話し合いの中で自分のやりたいことは何かを考え、その上で約束をして守りきったのですから。何をしていいのかわからない子どもには、親の考えを話してあげてもいいでしょう。しかし絶対に押し付けてはいけません。親の考えを伝えるだけにとどめ、自分で考える余地を残してあげてください。

身近なところでは、ゲームは時間を決めてやる、携帯電話は料金の上限を決める、人の迷惑になることはしないといったように具体的なアドバイスをしてみましょう。そうすれば、子どもが自分なりにどうすればいいのか考えて行動するようになるはずです。もし何かやってしまったら「迷惑をかけているよね。そういうこともお母さんがいちいち言わないとダメなのかな?」と、自分で考えることを促してみてください。小学校の高学年ころであれば十分できるはずです。

私もクラス担任として多くの中学生に接してきましたが、常に「自ら考える」よう促すことを心がけてきました。1年間、クラスでは本当にいろいろなことが起こり、その度に話し合いが持たれます。いろいろな意見が飛び交いますし、なかなかまとまらないこともあります。それでも私はなるべく口出しはせず見ているだけに徹していきます。ときに、特定の生徒に焦点が当たりそうになることもありますが、話し合いの中で「個人攻撃はいけない」という空気が自然に生まれてきたりもします。

とはいえ、思わず「おいおい、それでいいのか？」と言いたくなるほどゆるい結論が出てしまったり、堂々巡りになって結論が出せず、何度も同じテーマで話し合うこともあります。しかしそうやって大人に頼らず、時間をかけて互いの意見を聞き自分で考えるプロセスが重要なのです。

とにかく見守る

何かあっても、できるだけ口出しをせず見守るべきところは、親子関係でも同じだと思います。「放っておいたらこの子はどうなってしまうんだろう」「このまま道を踏み外して転落の一途をたどってしまうのではないか」と最悪のイメージが頭をかすめるかもしれません。荒れているわが子を見れば、悲観的な気持ちになるのもわかります。しかし、苦しいときこそ、子どもが自分で考えて行動につながるさりげないアドバイスにとどめ、わが子を信じて見守ってほしいと思います。

中学生にもなれば学校や友人関係の悩みを親に話すことはあまりありません。子どもの心情は親が子どもの様子や目線などから察知するしかないのです。詮索のしすぎはかえって信頼を失いますので、くれぐれもご注意を。常に気にかけていれば、必ず子どもから信号を発するはずですから、それを見逃さないようにしてほしいと思います。

悩み苦しんでいる本人も、その状態から早く抜け出したいと思っています。自暴自棄になっていても、「本当にそれでいいのか」と割り切れない思いも残しています。一方で一晩寝たら少しだけ悩みが軽くなったり、美味しいものを食べたらまあいいかと思えるようになったりもします。若さとはそのような楽観的な希望を持たせてくれるものなのです。時間がかかることもありますが、自分で何らかの答えを見つけ、戻ってくるのを信じて待ちましょう。

中学生と教師の関係

学校によって事情は違うと思いますが、一つ言えることは「部活の顧問は絶対的な存在」となることが多いということです。とくに運動系の部活動では担任や教科担当の教師より影響力が強いものです。

ですから、何か心配ごとがあるときには、部活動の顧問やコーチに様子を尋ねたり、子どもの悩みを聞き出してもらうことを考えてもいいかもしれません。

とはいえ、全般的には教師に対しては反発する生徒が多いように思います。思春期の子どもたちは自分を見る目が厳しく、それを大人にもあてはめます。自分に自信があるわけではないのですが、一方で理想がとても高いところにあります。だから少しでもすばらしいと思えば、神のように崇めてしまうし、少しでも傷つけられたら振り向く価値もない、というような極端な態度を取るのです。思春期の子どもは、すべての人間関係において、このような「極端」に走る傾向があるようです。

中学生に「どうせ…でしょう」は×、「すごいね」は○

多感な中学生には、言葉のかけかたにもちょっとしたポイントがあります。子どもに反発されると、親の方も一時的に自暴自棄な気持ちになってしまい「どうせ私の言うことなんて聞かないんでしょ」とか、「どうせあなたは何もやらないんでしょ」などと言ってしまいがちです。しかしこの「どうせ」は中学生にはＮＧワード。

「どうせ」はあきらめの意味合いが強く、それを子どもに向けたときには「最初から期待していないよ」という意味にも取れます。それでなくても自意識過剰の中学生ですから、親にバカにされているように感じ、プライドが大きく傷ついてしまうこともあります。

また、中学生は大人と子どものはざまの年代ということもあり、子ども扱いされることを嫌います。とくに「上から目線」の言葉にはひどく敏感です。できるだけ子どもを一人前に扱い、認めるところは認め、すごいなと感じるところは素直に尊敬の気持ちを伝えてあげてください。親は、どうしても子どもを実年齢よりも1、2歳下のイメージで相手をしている傾向にあります。しかし、それでは子ども扱いされたと感じプライドが傷つきますので、とくに思春期の子どもの相手をするときは、十分注意してください。

ほめたいときは「すごいね」と言葉に出してさりげなく評価するといいと思います。ここは「えらいね」ではなく「すごいね」でお願いします。頭ごなしの言い方には敏感ですから気をつけましょう。子どもはまだまだ親にはかなわないことを知っています。だからこそ「乗り越えたい」という思いが強いことを、理解してください。そして、その子が頑張っているところ、認めてほしいと思っているところを探し出し、ほめてあげましょう。

では、もし部活動ばかりやっていて、勉強がいい加減になっていたら、どんな言葉をかけたらいいのでしょう？　「いつまで部活やってるの？」と苦々しく言いたいところですね。しかし、3年生になって高校受験が間近という段階でも、主将など責任のある立場にあれば、どうしても部活動優先になるものです。そんなときにはあえて小言ではなく、「こんな時期なのに、頑張っているね」と、その子の頑張りを評価した言葉がけをするべきではないでしょうか。

ちなみに、私がこれまで見てきた生徒たちの中でも、部活動で頑張ることができた子は、その後の切り替えが早いことは間違いないので安心していいと思います。部活動で頑張れる子たちの多くは勉強でも集中力を発揮して、大きな成果を上げています。なかなか勉強へ気持ちが切り替えられないなど迷う時間が長引きそうであれば、それなりにサポートは必要ですが、基本的にはあまり心配しなくても大丈夫です。

もし切り替えが遅い場合は、授業内容がわからなくなっていたり、友だちに追い越されて焦ったりして、子ども自身勉強が手につかなくなり身動きが取れなくなっていることが考えられます。親御さんも心配でしょうが、中途半端な説教や小言はぐっとこらえて、その状況に付き合い、見守ることです。

一途に部活動に打ち込んできたその素直で誠実な生き方が、その子のこれからを必ず切り開きます。不器用な子の場合、暗中模索する時間が長いかもしれませんが、ペースをつかむことさえできれば、馬力があるのですからすぐに追い上げることができます。

子どもの言葉に耳を傾けよう

思春期に親子が信頼関係を結ぶためには、日常の子どものさりげない言葉に耳を傾ける努力も必要です。

たとえば、いつも反発して親には何も話さないような子でも、ふとしたときに自分の本音や願いをぽつんと口にするものです。あるとき子どもが誰にともなく「焼き肉食べてえなあ」と、こぼしたとしましょう。お母さんは「そうねえ」などとさりげなく聞いておきます。そして、しばらくたってから「そういえばこの間行きたいって言ってたよね。じゃあ、今日は一緒に焼き肉を食べに行こうか」と誘ってみてください。もちろん、いつもこのような願いをかなえてあげるのは大変です。たまに心と懐に余裕ができたときに、忘れずに実行するのがコツです。

この方法は、意外に効果があります。口に出さなくても「ああ、お母さんはちゃんと聞いてくれたんだな」とわかってくれます。子どもにとっては自分が投げたボールが、ちゃんと返ってきたような感じです。

思春期の子育てでは、親子間のもめごとは避けられません。しかし、きちんと向き合って子どものことを第一に考えて何とか対処していけば、必ず落ち着いてきます。親に言われた言葉は、反発しているときでも、意外と心の隅に残っているものですから、決してあきらめずに頑張ってください。

思春期の悩み～友人関係

たいていの子は、「自分とはどういう人間か」を、友人たちの中での自分の役割や位置で、少しずつ考えるようになってきます。

やっかいなことに、それはほとんどの場合「劣等感」という形で明確になってきますから、中学生の心は大きく揺れ動いてしまうのです。お母さんたちも、中学生ころのご自身のことを思い出してみてください。何事に対しても、自信満々だったという人は少数派だと思います。たいていは「私なんてかわいくない」とか、「スポーツが下手」といった表面的なことに対して、一方的に、しかも猛烈に自信を失っていたのではありませんか。そういうところは今も昔も同じです。中学生のほとんどは、表面的には明るく元気そうに見えても、内面ではこのような劣等感を抱え、苦しい思いをしていることを知っておくといいでしょう。

では、劣等感のかたまりともいえる中学生は、どんな行動を取るようになるのでしょう。それは「仲間作り」です。ざわめくような不安な気持ちを、仲間や上級生など身近な人たちと「自分らしく」つながることで解消しようとします。

そんな状態ですから、子どもが最近どうも元気がないと感じたら、その原因は十中八九、友人関係が原因と思っていいでしょう。中学生の頭の中は、試験の心配以外はほとんどが友人関係のことで占められているようです。

その悩みも、ごくささいなことがきっかけで始まることが多いものです。たとえば、仲がよかった友だちと席が離れたという理由だけでうまくいかなくなったりします。とくにケンカをしたわけでもないし、悪口を言われているのでもないのですが、ほんの少しの変化でも話しかけにくくなることもあるようです。

大人にしてみれば「そんなことで」と思いますが、子どもにとってはわずかな変化も敏感に感じ、思いつめてしまうのかもしれません。

しかし、問題の解決もまたささいなことだったりします。たとえば友だちとうまく付き合えなくなってしまった場合でも、別の友だちを作ります。また、席が近くなることで一度離れた友だちとの関係が安定する子もいます。また、夏休みなど長期休暇が入ることで気持ちがリフレッシュされ、自分を取り戻せる子も少なくありません。

私の経験では、落ち込んでいた子が立ち上がってくるまでには2ヶ月ぐらいかかることが多いと感じます。子ども自身の立ち直る力を信じつつ、長いスパンで見守ってください。

もしも…の場合

しばらく前から世の中では、子どもたち同士の「いじめ」が問題とされていますが、大切なことは、わが子の発するサインを親が見逃さないことです。中学生はなかなか学校のことを話してくれませんが、冗談ぽく匂わすことはあるかもしれません。あるいは、急に朝起きられなくなった、メールばかりしている、いつも出る友だちの名前を口にしなくなった、休日も遊びに行かないなど、それまでとは違う様子があれば気をつけてください。十中八九は、それほど深刻なものではなく、子ども自身が他のことで悩んでいただけだったりしますので、自然に解消されます。

しかしもし、子どもがいじめを受けてひどく動揺しているようなときは、お母さんも一緒に動揺してください。それによって子どもの心の揺れがいい具合に吸収されて楽になるものです。「大丈夫、頑張って」なんて言われたら、子どもはもう何も言えなくなってしまいます。学校で友だちにいじめられているのに、頑張れるわけがありません。ぜひ不安な気持ちを共有してあげましょう。

その上で、先生に相談したり、保護者同士のネットワークを使って情報収集してみるなど粘り強く周囲へ働きかけていく姿勢が大切でしょう。それも相手や学校に文句を言うのではなく、解決方法を相談するなど、親が一生懸命考えてあげるのが何よりの力になります。

一方で、子ども同士のトラブルが発生した際、最近は全般的に「相手が悪い」と決めつける保護者が多いようです。子どもの話をすべて信じてしまうのですね。信頼したい気持ちはわかりますが、往々にして子どもは都合のいいことしか言ってこないものです。子どもの言うことだけ信じていたらどうなるでしょう。

たとえば、ある子が殴られたとします。殴られた子の親は「うちの子が被害者だ」と怒鳴りこんできます。しかし殴られるまでの経緯を詳しく聞いていくと、殴った子は相手の言動に腹を据えかねて殴ってしまったことがわかり、今度は殴った方の親が「こちらこそ被害者だ」と激しく応酬するというように、問題は泥沼化していくのです。何か問題が起こったときは、とにかく本当のところはどうだったのか、冷静に事実を見極めていただきたいと思います。

問題行動を起こしたとき

ではたとえば、自分の子どもが万引など問題行動を起こしてしまったときには、どのような対応をすればよいでしょう。中学生が問題を起こすのはたいてい何らかのサインを出しているときです。案外わが子に関心のない保護者もいるので、必死で「こっちを向いて」とアピールしていると考えられます。

しかし親がちゃんと子どもの方を向いていても、問題行動に走ってしまう子もいます。一般的に、思春期の子どもは友人たちとの関係を維持するため、自分とは異なる価値観に同調したり、友人たちの言うことに振り回されてしまうことも少なくありません。ちょっとした「悪」や「スリル」を求める時期ですから、仲間うちに少し「悪い」子がいると、その子の言動や行動がかっこよく見えたり、面白く感じたりすることもあります。ときには大人に隠れてちょっと悪いことをしたりもしますが、仲間意識が強固ですから「(大人には)黙っていようぜ」という空気にもなります。

これは誰もが経験し通る道です。小学生のときは何が悪いことでやってはいけないことかを理解していた子でも、変わることがあります。刹那《せつな》的ともいえる仲間意識につなぎとめられ、自分が本来持っていたはずの判断能力さえも、一時的に失われてしまうのです。

ですから、たいていは自分が属するグループの仲間にそそのかされて問題を起こすのです。社会的に見れば許されない行為でも、やればグループの一体感を高めることに貢献し、一員として認めてもらえる達成感を味わえるのでなかなか抜けられません。

親にしてみれば「あんなグループに入っているから、こんなことになった。うちの子をそそのかしたグループの子たちが悪い」と考え、わが子は被害者だと思うでしょう。しかし、ではなぜそのグループに属しているのかと問われたら、何と答えますか？　そのグループはわが子にとって居心地のいい場所。そういう場所を自ら選んで所属しているのですから、そもそも問題はそこにあるといえます。

子どもが何か問題を起こしてしまったら、あらためてそれまでの子育てを振り返ってください。それまでわが子とどう向き合ってきたでしょうか。本音を聞いたことがありますか？　何を面白いと感じているか知っていますか？　そして子どもが自分を大切に思える気持ち、自尊感情を育ててきているでしょうか。

中学生ころの子どもはとくに、自尊感情が圧倒的に低いのです。親はとにかくその子の存在を一人前として認めてあげましょう。子ども扱いは最も嫌がる年齢です。頭ごなしに叱りつけたりするのも反発を買うだけです。よく言われていることですが、やはり「ほめて育てる」は子育ての基本です。それが自尊感情を育てることにつながるからです。

ですから、子どもが何か問題を起こしてしまっても、「なんでそんなことをしたの！」と一方的に怒るのはやめましょう。友人関係で悩み、問題行動を起こすのも、中学生ころの子どもにはありがちなこと。いちいちとがめるのではなく、時間をかけて子どもと向き合い、なぜそのような問題を起こしてしまったのかをじっくり考えてみてください。

いずれにしても、子どもが何かやったときに親はうろたえないことです。いや、うろたえてしまうのは親心として仕方がないことですが、同情を誘う子どもの姿にほだされず、腹をくくって潔く向き合ってください。もしわが子が他人に迷惑をかけたり、友だちを傷つけるようなことをしたとわかったら、親も謝罪する姿を見せるべきです。

思春期に自尊感情を持てない理由

それにしても、中学生ころの子どもたちの自尊感情はなぜ低くなりがちなのでしょう。

小学校中学年までの子どもは天真爛漫《てんしんらんまん》に過ごしています。友だちの中にスポーツが得意な子、成績がいい子はいますが、それを認めつつも自分と比較して落ち込むようなことはありません。ところが高学年になると、少しずつ内面が形成され始めるので、自分と友人を比較して悩むようになるのです。

思春期の子どもたちは、あまり友だちをほめません。すばらしい才能に対しては一目置きますが、そうではないことに対しては必要以上におとしめた見方、考え方をする傾向が見られます。また、それまでは考えもしなかったようなこと、たとえば自分の行動の身勝手さやわがままなどについて、反省したり悩んだりします。

このような心理状態にあって、自尊感情が高まるはずもありません。思春期特有の成長プロセスそのものが、自尊感情を育てにくくしているというわけです。

受験勉強などを通して、自分の成績が数値化されることに打撃を受けてしまう子どもも少なくありません。それが勉強の励みになればいいのですが、「どう頑張ってもダメだ」と立ち直れなくなる場合もあります。結果として勉強嫌いになったり、ものごとを見る目をゆがめてしまうことさえもあります。数値によって自分の能力が評価されることは、どうしても劣等感につながりやすいのです。

もう一つ自尊感情を持ちにくくしている要因としては、心身の急激な成長も関係していると思われます。たとえば、それまでは上手にできていた、ボールを手ではずませる「ドリブル」という動きが、一時的にうまくできなくなることがあります。これはおそらく、急激に身体が成長したために手足のコントロールがうまくできないためだと思われます。男の子ですと体つきが変わってくることで、今まですり抜けられていた場所でぶつかってしまったりということもあります。それぞれほんのささいなことにすぎませんが、日々の生活のはしばしで違和感を覚えるのです。思うように動けない自分への不満も高まります。女の子は胸がふくらんでくると体育などでは人の目を気にして、のびのび身体を動かせなくなることもあるでしょう。

芸術活動においても、精神的な成長に伴い、それまで自分がやってきた造形や色彩に満足できなくなり、より高度な作品をイメージするようになります。しかし、技術はそこまで発達していないのでイメージ通りのものができず、もどかしさを感じるのです。

このように一時的とはいえ心と身体が連携して動かせないために、毎日のように自分の「ダメ」と向き合うことになりますから、自己肯定感などとうてい持てない状況だといえるでしょう。

「今のあなたのままでいいよ」と言い続けよう

思春期の子どもに、少しでも自分を大切にする気持ちを持ってもらうために親ができることは何でしょうか。

それは「あなたのままでいいよ」と親が伝え続けることです。子どもは思春期に入るころから、自分の思い通りにしたくなりますが、現実にはそうはいかない不自由さを感じています。そんなときに親が「今のままのあなたでいい」と伝えれば、子どもの気持ちを軽くしてあげられます。

特別に説教をする必要はありません。子どもと過ごす時間を作ること、意識的にコミュニケーションを取ることを心がけ、常に「今のままのあなたでいい」というメッセージを送り続けていくことです。

子どもの話を聞いて「その考え方いいね」と評価したり、ちょっとした気遣いに対して「ありがとう」「おかげで助かったわ」といった声がけをするといいでしょう。友だちとの関係についても「○○さんもきっと感謝していると思うよ」「いつの間にかそんなこともできるようになったんだね。すごいなあ」などと、言葉をかけてください。

いつも家族に反発しているような子どもでも、心の隅では「家族の役に立ちたい」「人のために生きたい」と思っています。そこを見落とすことなく「ありがとう、助かったよ」と声をかければ、どんな子どもでもこそばゆいような嬉しい気持ちになるものです。反対にほんのちょっとしたことでも認めてもらえないと、落ち込んでひねくれてものごとをとらえるようになります。「どうせ私なんか」という気持ちが増幅してしまうので注意が必要です。

そうなると、親は心配のあまり、子どもに対して否定的な言葉を言ってしまいがちですし、すでに言ってしまったと反省されている人もいるかもしれません。でも、まだ手遅れではないのです。今日からでも大丈夫。何といっても、子どもたちは何事をもはね返すエネルギーに、本来は満ちあふれているのです。

ぜひ、わが子を肯定する言葉がけ、意識的なコミュニケーションを心がけてください。そこからでも十分に自尊感情が育ち、不器用ながらも自分自身を持ちこたえ、周囲に目を向ける姿勢が整っていくはずですから。

信頼関係を築いていこう

中学生が、「親を信頼している」などと口にすることはまずありません。それよりも親に対する反発が強く、「どうせかなわない」「何を言っても言いくるめられる」「親は自分のことを認めてくれない」「親は自分になんか関心がない」などと思い込んでいるものです。

子どもがそう思ってしまうのは、親の態度にも原因があります。たとえば、親が自分の理想を子どもに押し付けていたり、自分の思い通りにならないと気がすまずきつい言葉を投げつけてしまったり、成績以外のことで子どもにはほとんど関心が持てないなど……。極端な事例のように思われるかもしれませんが、わりとよく見られるケースです。これでは親子の関係がうまくいくはずがありません。
私は、思春期に親がどう関わるかで、その子の人生が大きく変わると思います。思春期は親子でぶつかり合い、互いに成長しながら確かな絆を作っていく時期です。口うるさく言うのは得策ではありませんが、少なくともわが子へ関心を向け、一生懸命向き合うことが信頼関係への第一歩です。

問題を起こしながら成長する中学生

子どもは失敗を繰り返し成長していきます。親にも覚悟がいりますが、同時に子どもたちにもそれなりの自覚が欲しいところです。私は日頃から、子どもたちには次のように話しています。

「足を踏み外すことは、君たちにとって大切な経験だと思う。あえて踏み外したくなるわけだし。でもそれはエッジを歩いているスリルを味わっていることなんだ。落ちるか落ちないかというところで落ちないようにしているからスリルを感じていられるわけだ。でも、エッジを歩いていれば当然落ちることもある。もし落ちてしまったら『ああ落ちた、やりすぎたな』と思ってほしい。落ちたことを自覚しないとそこがいつもの平面だという錯覚に陥り、さらにもっと下に落ちるエッジを探すことになるだろう。落ちてしまったら、ぜひ戻る努力をしてほしい。仲間と一緒だと落ちたことに気づかないまま、階段のように何段も落ちてしまうこともあるだろう。でも、君たちに『限度を保つ』という冷静さがあれば、きっと大丈夫」

中学生になると、面白いほど次々と問題を起こしてくれます。しかし、思春期の子どもは問題を起こしながら成長していくもの。誰もが目の前に設定されている「限度」を超えたいと思い、超えて初めて「あっ」と思って引き返してきたりします。しかし、このような経験は子どもの成長に欠かせないことです。ちょっと「悪いこと」の経験を通してスリルを感じて成長し、どこかで大人になる意味を感じるものなのです。

ですから、親が先回りして支えたり、無理やり引き戻してしまうと、子どもは自分で引き返すタイミングを学べなくなります。「いい子」の仮面の下で、子どもにも把握できない「顔なき欲望」が増殖し続け、とっぴで凶悪な行動に走らせることすらあるのではと、様々な少年犯罪報道を見聞きするにつけ感じさせられます。

また、親の支配には過敏な時期ですから、そのような親の「干渉」に対する反動も大きくなります。もちろん、親としては「これ以上は引けない」というラインがあるものです。しかし、こと思春期の子育てではそのハードルをそれまでの百分の一まで引き下げるくらいでちょうどいいのではないでしょうか。

後から聞いた話ですが、私の母親も中学生の私に対しては、母親自身がどうしても譲れないということに限って意見をするだけにとどめていたのだそうです。また、ある家庭では中学時代は携帯電話を持たせたくないという考えがあり、それを貫いたのだそうです。

携帯電話やゲーム機などについては、どの家庭でもその扱いについて悩んでいらっしゃることと思います。もちろんそれぞれの家庭の教育観や子どもの個性、学校のルールなどに大きく左右されるもの。親子で使い方のきまりを話し合い、機器とのつき合い方（リテラシー）を身につけさせましょう。

その上でこれだけはどうしてもダメというものについては、親自身の人生から割り出された直観の表れでもあります。子どもの反発は予想した上で突っぱねるのもあるときは大切です。後は子どもが自ら考えて行動すると信じて見守りましょう。

子育てに手遅れはない

小学生のころならまだしも、中学生になって問題が起こると親は絶望的な気持ちになります。何を考えているのかもわかりませんし、学校で何があったかもほとんど話してくれません。「親が反省するとしても、中学生からの子育てにおいては、すでに手遅れなのではないでしょうか」という質問をいただくことがありますが、私の答えは「子育てに手遅れはありません」ということにつきます。

こんな事例があります。ある中学1年生の女の子ですが、学校で友だちのものを繰り返し盗んでいたことがわかりました。ごく普通の家庭のお子さんなのですが、両親の仕事が忙しくなかなか相手をしていないとのことでした。おそらくその子は「自分は親に見捨てられているんだ」という思いを持っていたのではないでしょうか。

問題が発覚してすぐ、忙しく働く両親が仕事を休んだり、早退するなどしてとにかくその子のそばについて過ごすようになりました。とくに父親は重要な役職についている人でしたが、仕事より娘が大切だという思いからずいぶん仕事を休んだそうです。このような行動に出たことで、両親が仕事より自分のことを大切に思っているというメッセージは確実に伝わったようでした。

親が本気で子どものことを考え、向き合っていけば必ず問題は解決の方向へ向かいます。すぐにあきらめたり後悔するばかりでなく、子育てに手遅れはないのだということをお忘れのないように。

子どもは自分の足で歩く中で冒険してみたいし、それが大失敗したとしても、反省するのだから、親には許してもらいたいと思っています。もちろん、親は怒ってもいいのですが最後には許してあげましょう。親が思い直すことで、子どもも一度立ち止まり、時間とともに自然に落ち着いてきます。

思春期に子どもと一緒に苦しんでいても、それが正しい姿だと自信を持ってください。何の悩みもなく、苦しまずに通りすぎてしまっている人の方が、その先がかえって心配になるくらいですから。

生きる力を育てよう

子どもがあらゆる困難にも負けず、生きていくためにはどんな力が必要なのでしょう。

私はまず「粘り強さ」だと思います。どんなことがあっても何かをやり続ける力こそ、生きる力です。

それは一つのことに固執し続けるようなやり方ではなく、ときに開き直ったり、ある部分は潔くあきらめることもあってもいいのです。結果として本当に大切なものへ、確実に歩を進めていくという意味での粘り強さが、生きる力だと思います。

そしてもう一つ、「幸運を信じる力」もとても大切です。あきらめずに粘り強く取り組んでいると、突然「棚ぼた」のように何かが起こり世界が開く瞬間が必ずやってきます。もしあきらめてしまったら絶対に経験できません。難しい問題に直面して頑張り続けているときにこのようなハプニングが起きただけで、あっさり乗り越えてしまうこともあります。これは私自身も様々な形で経験していますし、指導している生徒たちの間にもときどき起こっているのを目の当たりにしています。

挫折を経験することも多い思春期だからこそ、生きる力をつけることの大切さをお子さんにも伝え、夢を持たせてあげてください。

第2章

中学生から伸びる子はここが違う

中学生の勉強

中学校では、教科ごとに教師が替わりますし、教科書も分厚くなり、勉強の質が小学校のころとは大きく変わります。

とくに勉強の内容が抽象化するところが大きな違いです。たとえば数学では記号としてxやyを使うようになり、公式や定理なども次々に出てきます。国語も抽象的な文章が増えてきますし、社会の成り立ちをテーマにした、いわゆる身近ではないことを書いた評論も登場します。社会も世界史にまで広がるので、自分が身近に感じられない出来事を学びます。実感しづらいものを想像する中で知識として取り込んでいかなければなりません。

このような学習では知性や知識を基盤にし、その上に論理的想像力を組み立てていかねばなりません。このような違いが、中学校に進学したばかりの子どもたちを戸惑わせる一因となっているといえます。

学力が大きく伸びる子とは

できる子は頭の中で知識が整理されています。知識を次々に詰め込んでも、うまい具合に整理してまた新たなスペースが生まれる、そんなイメージです。基礎的な学習をコツコツ積み上げてきている子は、頭の中が整理されていることが多いようです。ただ、「コツコツ派」は完璧主義だったりもするので、何かでこけてしまうと立ち直りづらいという弱点もあります。

では、コツコツ学習するのが苦手な「感覚派」はというと、彼らにはまた違った伸びしろがあります。たいてい空気を読むのがうまく、学習内容についても的確に見通す感覚を持ち合わせています。もし多少ずれていたとしても、最後に帳尻を合わせてくるのも感覚派ならではです。このようなタイプの子は、いざというときに本質的なことを見抜き、実力を発揮していくことが多いと思います。

あなたのお子さんはどちらのタイプでしょう？　どちらのタイプも長所もあれば弱点もありますから、タイプを見極めたサポートを検討してください。

コツコツ派はあるところまでは必ず伸びますから安心してください。しかし、大きく能力が開花するような伸びはそのままでは期待できないでしょう。しかし、何か大きな変化、出来事があるとそこから伸びていく可能性はあります。私はコツコツ派でしたが、大学受験の失敗が自分を大きく変えたと思っています。その挫折は志望校に入れなかっただけでなく、浪人するならそこしかないと思っていた予備校にも落ちてしまったという事実です。そこで私は目覚めました。それまでは計画的に「勉強はこれだけやれば大丈夫」という定量を決めていたところがありました。しかし浪人中は、勉強の量に制限はつけないと決めたのです。できる限り全力で勉強をするという経験によって、自分が大きく変わったと自負しています。

感覚派の子の方はいざというときの集中力があります。そして激しい危機感を覚えたときに、急に能力が開花します。しかし感覚派の子はときに勘違いをし、大きなミスをしでかすこともあります。頭の中もあまり整理されているとは言えません。そういう子たちには、取りあえずこの「整理」ができるように少しでも仕向けてあげるといいでしょう。

具体的には、毎日の生活の中でルーティン化してやることを見つけるといいと思います。たとえば、朝起きたら必ず漢字と英単語の学習をする、あるいは次のテストは満点を目指すという目標を提示して、そのために毎日の学習を習慣づけてもいいでしょう。毎日ピアノを弾くとか、サッカーの練習をするとか、本を読む時間を取るなど、勉強でなくてもいいですよ。そうやって日々の生活がルーティン化してくると、自然と頭の中が整理されてくるはずです。

それでも試験の結果が思わしくない場合は、ある程度その子の伸びを見極めた上で、親の介入が必要になります。このタイプの子どもは勉強をやらねばとわかってはいるものの、お尻に火が付かないとやりません。親が強制的に参考書を広げるなどきっかけをつくり本腰を入れることで、子どもが成績を大きく伸ばすケースも少なくありません。ただ子どもをけなさないよう気をつけてください。けなしてしまうと子どもが親を拒絶してしまいますから、やる気になるような声かけを心がけてください。

理系でも文系でも読書をする子は成績が伸びる

ルーティン化するものは勉強でなくてもいいのですが、こと読書は学習効果に直結するのでおすすめです。しかしなかなか読もうとしないというのが多くの保護者の悩みではないでしょうか。

中学生になると、どうしても読書の機会が少なくなります。その上「どちらかというと理系の教科が得意」な子は「読書は自分とはあまり関係のないこと」として切り捨ててしまうようです。しかし、「優秀な子ほど読書が好きな子が多い」というのが、私の実感です。麻布学園の生徒たちの中にも、理系の成績が学年トップクラスで、しかも文学にも深い関心を持っている子がこれまでに何人もいました。

麻布学園では、通常の授業以外に「教養総合授業」という講座があります。高校での取り組みですがこの講座は希望者が参加するもので、少人数の討論形式で進めていくという大学のゼミのような授業です。実に様々な内容の授業が開講されます。私はこの授業で「明治の文豪たち」という講座や、「芥川賞を読む」という講座を開講しましたが、ここに参加する生徒は文系だけではありません。理系でとても優秀な生徒が参加することがよくあります。彼らは「自分はあまり本を読んでいないから」というきっかけで参加するようなのですが、同級生だけでなく、先輩・後輩と文学作品についての議論を深めていくうちに、その面白さを実感するようです。そして、ここでの学びは成績を確実に押し上げていきます。理系の教科はもちろんのこと、それまでどちらかというと点数が伸びなかった現代文のテストでも、学

年トップを取ってしまった子もいたほどです。これは明らかに、読書を通じて総合的な成績が伸びた事例と言えるでしょう。

今、医学部でも人間性を重視した選抜が導入され始めています。医師には豊かな人間性もまた求められるということに、大学がようやく気づき始めたということでしょう。人間力は数学や化学の問題を解いているだけでは身につきません。生命・倫理についてもしっかり考えられるだけの力が求められています。だから、文系を目指している人はもちろんですが、理系であってもぜひ本を読んでほしいと思うのです。

本を読んでいる子と読んでいない子の違い

本の世界では主人公たちが様々な状況の中で物語を展開しています。その世界に身を置くことで、読み手は実際に経験はしていないけれど、主人公の心情を通して追体験することができます。日常生活では難しいあらゆる経験が、読書の世界では可能だと言ってもいいでしょう。そういった本の中での豊かな経験は想像力を培います。読書を通じて想像力を維持していくことで、一つの価値観だけに流されることも少なくなるはずです。

本を読んでいる子とそうでない子の違いが大きく表れるのはそこです。よく本を読む子は、人から何か言われたときに、きちんと自分の中にインプットし考えます。反発するにしても、一度自分の中でかみ砕いてから「でも、私はこういう考えもあると思うのですが」というように、冷静に受け答えすることができます。何かしら接点を見つけようという努力を惜しみません。

ところがあまり本を読んでいない子は言われた言葉に対してほぼ反射的に、オウム返しに反発してきます。私が学校の現場で指導する中でも、このようにすぐ反発する生徒は、少なくともその時点では読書から離れてしまっていることがほとんどです。読書はものごとをじっくり考えるための素地を作りますから、ぜひ本を手に取ってほしいと願います。

読書と国語力の関係

読書はとくに国語力と密接に結びついています。では、実際にどういうところで「読書で培った底力」が発揮されるのでしょう。

国語は「じっくり考えること」が基本の教科です。よく本を読む子は読むだけでなくその内容を反すうし、ゆっくりと考えをめぐらせる経験が豊かですから、学習面でも同じように思考力を生かすことができます。よく「引き出しがたくさんある」という言い方をしますね。本をよく読む子は、頭の中に思考の根っこが張りめぐらされていて、様々な知識や考え方などが、網が張られるようにネットワークを作り上げているように感じます。次々と吸収しては引き出しにしまっているのですが、何かあれば即座にネットワークを駆使し、必要なことをパッと取り出してくることができるというイメージです。

そのような子は、たとえば長文読解の問題で初めて読む文章に接したとしても、きちんと読み込み、自分の中のネットワークを活用しながら、確かな答えを導くことができるのです。

しかし、日頃から文章を読み慣れていないと短い文でも辛いですし、評論文などで少し難しい語句が出てきただけで、とたんにわからなくなってしまいます。これは国語だけのことではありません。中学生以降、教科書に書かれている内容も難しくなりますから、文章を読んで理解する力が十分でないと、成績全体が低迷してしまうことにもなるのです。

能力があっても伸びない子

真面目なのになぜか成績が下降気味の子がいます。これはまず家庭での自分の居場所がない、または友人関係に悩んでいることが多いようです。彼ら自身も本当はとても困っているのです。勉強をしないとマズイのはわかっているけれど、勉強に身が入らない。友だち関係を維持しようと神経を使い、日々心を砕いているのですから大変です。この人間関係と勉強は、どちらかがうまくいかなくなるともう一方もうまくいかなくなることが多いようです。両方悪くなってしまうと、辛くてたまりません。

また、友だちに意地悪をする子は必ずと言っていいほど成績も落ちます。素直さや謙虚さを失い、友だちに対しても「あいつをどうやってへこませてやろうか」ということばかり考えていますから、学習へ向かう姿勢としては最も不適切な状態なわけです。せっかく能力があっても、これでは伸びません。

本を読む子は中3から伸びる

本を読んでいるのに国語の成績は今一つという場合、お子さんが中学1、2年生でしたらしばらく見守ってあげてください。最初は点数が伸びなくても中3ぐらいからぐんと伸びてきます。読書経験を重ねていくと、自然と内容をまとめたり、論理的に考えたりすることができるようになります。推理小説などは、どこにヒントがあるのかじっくり読み込んでいきますね。また主人公の心情や考え方、それに対して自分はどう思うか、自分ならどうするかというように、読みながらも少し立ち止まって考える時間が自然と生まれます。そのような「複層的に考える」という内的な経験が積まれていくことで、やがて初めて読む文章でも違和感なく、すんなりと読み取れるようになってきます。

このようにして本を読み慣れている子であれば、おそらく高校受験レベルの文章は簡単に読みこなせるはずです。なぜなら、いつも読んでいる本と比べれば短いので楽に取り組めるからです。さらに全体の流れを読み取るセンスが身についていれば、設問にとらわれ、惑わされることもなくなるのです。

勉強しても国語の点が伸びないのはなぜか

国語の長文読解問題は、国語が苦手な子にとってはとてもやっかいな存在です。それは機械的に、ルールに基づいて解答するような問題ではないからです。国語の点数が伸びない子の多くは、たとえば本文中に傍線が引いてあると、その前後だけを見て答えようとします。このやり方で点数が取れることもありますが、長期的に見ればこのやり方では絶対に成績は伸びません。文章はその部分だけ読めば理解できるものではなく、基本的に全文を通読すること、さらにはある程度のまとまりごとに読み、理解することが必要となるからです。

読み方の基本を紹介しておきましょう。まず全体を読んで、続いて段落ごとに分けていきます。そしてそれぞれの段落を、自分の言葉（本文の語句を使ってもよい）でおおまかにまとめます。作品を読んでまとめる力をつけるのは大変なことですが、ここを頑張れるかどうかで高校受験はもちろん、その後に控える大学受験へ向けても確実に差がつきます。国語は「読む」ことなしに真の力はつきません。慣れないと最初のうちは辛いかもしれませんが、頑張ってほしいと思います。

国語の面白さに気づかせてあげよう

ここまで読んできて「すぐに成績に結びつくことがないのであれば、あきらめよう…」「もう中学3年生だし、読書する時間はないなあ…」。そんなふうに思ってしまった方もいらっしゃるかもしれません。

しかし、ここは絶対にあきらめないでください。すぐに成績に結びつかなかったとしても、生きていく上で読書はどこかで必ず力になります。たとえば、中学生の多くは仲間との時間を大切にしていますね。そんな楽しいひとときに言葉はコミュニケーションツールとして欠かせません。友人との会話の中でちょっと気の利いた一言が言えるのは、最高に気分がいいものです。また、友人の小気味いい発言に感心することもあるでしょう。会話の中でどれだけ気の利いた言葉を言えるかは、やはりいろいろな本を読み、言葉を吸収しているかどうかだと思いませんか？　日常生活の中でも言葉を豊かにするためにも、読書は実に有効だということをお子さんに教えてあげてほしいと思います。

何より忘れてはいけないのは、読書とは本来楽しいものだということです。一般的に「国語が苦手＝本を読んでいない」という考えが浸透しているので、国語の成績のために本を読まなければならないと思い込んでいる中学生は多いと思います。しかし、まずは本の世界を楽しませてあげてください。

そのためにはやはり、読む本の選定がカギになります。比較的読みやすそうな雰囲気が漂っていて、中学生や高校生が主人公である設定でしょうか。様々な「おすすめ」に目を通すもよし、書店や図書館で目にとまった一冊をパラパラめくってみるもよし、とにかく気軽に数ページでも読み始めてもらえれば…そして、本を楽しむ経験を重ねることで、自然と国語の面白さにも気づかせてあげられれば最高ですね。

国語以外の教科はどうするか

私は国語科の教師ですから、他の教科について専門的な指導はできません。しかし、その他の教科、英語、数学、理科、社会についても「サブノート」作りをおすすめします。サブノートとは、学校の授業を自分なりにまとめるためのノートです（第5章で詳しく紹介しています）。ノートの使い方は自由に工夫していいのですが、主にその日学校で習ったことを板書や教科書を中心に、自分なりにまとめ直していく作業が中心です。単語や語句の意味などもきちんと確認しておきましょう。また、余裕があればその日学んだことに対する（あるいは授業についての）感想などを書いておいてもいいでしょう。

中学校の勉強は、授業を聞いているだけでは追いつかず、もう一度自分で理解し直すことが要求されます。定期テストの点数が思わしくないと、すぐに塾に行かせる家庭が多いのですが、塾や家庭教師はマッチングがうまくいかないと効果がありません。また、授業の内容や進度とは違うカリキュラムだったりするので、消化不良に陥り、自信をなくすことにもなります。その前にぜひサブノート学習をすすめてみてください。その上で塾や家庭教師を吟味して選んではいかがでしょう。

ちなみに中1では、まだ成績の落ち込みや悪さに免疫がないのでそれなりにショックを受けます。ですから、親が働きかけるには絶好のチャンスです。しばらくして成績がよくない状態に慣れてしまうと、なかなかやる気が起きなくなるのでご注意を！

技術・家庭科や芸術科目には全力で

学力を重視していると、つい実技や芸術科目は手を抜く生徒が多いものです。しかしそういうものこそ全力で取り組む方が、結果として成績向上につながると思います。とくに芸術科目は学校生活の中で「美しさと向き合える唯一の時間」です。人間はどんなときも美しさを忘れてはいけません。美しいものは心をリフレッシュしてくれます。たとえば、音楽の時間にクラスで合唱曲を歌ったとき、そのハーモニーの美しさに鳥肌が立つ経験は、誰もが一度はしているのではありませんか。そのような経験によって私たちの心は浄化されます。作品に向き合うことで、無心になれることもあります。悩み多き中学生にとって、気持ちがリフレッシュする芸術科目は欠かせない存在なのです。

子どもの心は不連続に成長しています。昨日わからなかったことが今日は理解できるようになるなど、著しい伸びを見せる瞬間が折々にあるのです。教師生活を通して私が接してきた生徒たちを見ていると、芸術科目を積極的に楽しんでいる生徒には、目を見張るほど伸びる瞬間が見られることが多いようです。授業はきちんと受け、課題には全力で楽しみながら取り組んでほしいと思います。

高校生になってから伸びた子の中学時代とは

高校生になってからいい感じに伸びてくる子たちに共通していることは、中学時代に一つのことにひたむきに取り組んだ経験があるということです。部活動でも何でもいいのですが、一つのことに生き生きと取り組んでいた子は、高校生になったころ「あれ、ずいぶん雰囲気がしっかりしてきたな」という印象を持つことがよくあります。そのような子は学力も友だち関係も安定した地盤を作っていて、それがあるときにぐんと伸びるのです。後伸びというより「脱皮」という表現のほうがふさわしいかもしれません。「脱皮」によって、学力も人間性もまた一回り大きく成長していくのです。

と、ここまで書くと、大切なものが見つけられていない子はダメなのかという話になりますが、そんなことはありません。一生懸命探している子もいるでしょう。また、理想が高くてなかなかこれというものが見つからないと思い込んでいる子もいるでしょう。悩んでいる過程が結果として糧になることだってあります。もし、打ち込むものが見つからないと悩んでいる様子なら、「迷うことができるのも能力だよ。妥協できないというのも、つらいけど大事なこと。迷い続けることはとても大切なことだから、そんな君を応援しているよ」と伝えてあげてください。

後伸びする子の育つ家庭

中学生になると、高校受験を意識し始めるので、どうしても子どもの成績ばかり注目してしまいます。親は成績表だけ確認し、勉強さえしていれば安心しがちです。成績が落ちたら塾へ行かせておけばいいといった具合です。子どもも、成績さえよければ親に評価されると思ってしまいます。

しかし、本当に大切なことは、偏差値が高いことではありません。たとえば、親子で一緒にご飯を食べることの方がずっと大事です。

忙しい中学生ですから、親子が会話できるのは食事の時間ぐらいのはず。それさえもバラバラでは、いったいいつコミュニケーションできるのでしょう。せめて1日1回の食事ぐらいは、親子で食卓を囲みたいものです。そういう雰囲気があって初めて家族と言えるのではないでしょうか。

親子の会話があり、子どもの居場所のある家庭に育った子は素直さがあります。学力面でも人間性でも「後伸び」をするのは、そんな素直な子どもです。そして、中学校のころは、成績そのものではなく、努力しているかどうか、親がどう支えているかが重要です。言いかえればフェイス－トゥ－フェイスの関わりを大切にしていた親の存在こそが、この時期の子どもの心身の何よりの栄養になるのです。結果だけを見るのではなく、プロセスを含めて多角的な評価をしてあげることが大事なのです。そして、そういう雰囲気作りができていると、子どもはどんどん力を伸ばしていくものなのです。

子どもにとって受験とは何か

中学生がこれから迎える最大の関門は、高校や大学の受験です。親にとっても実に気がかりな問題です。学歴社会が揶揄《やゆ》されているにもかかわらず、やはり「いい高校」「いい大学」に進むことができれば、何とかなるのではという思いもあるでしょう。親としては、これから先受験までの間、どのように引っ張っていってあげればいいのでしょうか。

あらためて子どもたちにとっての受験とは何かを考えてみましょう。子どもたちにしてみれば、受験をするということは、今在籍している学校からの卒業が控えていることを意識させられることです。友だちや後輩たちとの別れ、子ども時代との別れとも言えます。卒業という経験を通じて大人に近づいていきます。

私が言いたいのは、今在籍している学校でどのような生活を送ってきたかが、受験に向かう動機やエネルギーに大きく関係しているということです。受験に向かうエネルギーは、今通っている学校での満足度と深く関係しています。今の学校生活を大切にしていれば成績も自然と上がっていくものです。そして生活が充実してくれば自然に、等身大の学校や、少し頑張ったら行ける学校が見えてくるはずです。そして、どこに進学したとしても「ここの学校しか入れなかった」ではなく「いろんなことを経験して気づくことがたくさんあった。だから今私はこの学校に来ているんだ」と、自然に思えるはずです。

多くの犠牲を払って勉強ばかりしてようやく一流校に合格したとしても、そこで輝けるかどうかはわかりません。高校、大学を卒業した後の生活でも、学生時代の充実感はそのまま土台となっていきます。これから受験を迎える保護者のみなさんには、ぜひ偏差値だけで学校を判断するのではなく、その子が今を充実して過ごせるようサポートしていただきたいものです。

「勉強しなさい」と言わない勇気

私が中学1年生の担任になったときは必ず、1回目の保護者会で「1年生のうちは『勉強しなさい』と絶対に言わないでください」と話しています。麻布学園に入学してくる子どもたちは、大変な受験勉強を乗り越えています。やがて大学受験を意識するようになり、高校3年生では猛烈に勉強するだろう彼らです。そのときになって入学当初を振り返り、「中1のころは楽しかったなあ」と思い出せるようにしてほしいのです。思い切り楽しむことができたという経験は、確実に大きな活力となるからです。

また、これは麻布の生徒に限りませんが、多くの中学生はうんざりするほど学校生活の中で「勉強しなさい」と言われています。そして言われすぎてしまい、耳にタコができている子も少なくありません。そのような理由から、麻布学園の中学1年生（私が担任の場合ですが）の保護者の方たちには、とにかく「勉強しなさい」という言葉は封印してもらえるよう働きかけています。

実際、私の言ったことを固く守ってくれたお母さんがいました。いつも不安でたまらないらしく、「本当に大丈夫なんですか」と、何度も問われたものです。その度に私からは、「お子さんを信じて見守ってあげてください」と言うしかありませんでしたが、その子は見事第一志望の大学に合格しました。このお母さんは本当によく我慢したのだと思います。ある程度子どもを見極めることも必要ですが、このように親がうるさく言わないほうが、実はよほど効果的なのです。

子どもに向き合わない時間も大切に

どうしても口うるさく言ってしまう方は、一度ご自身のことを振り返ってみましょう。わが子には「勉強しなさい」「本を読みなさい」と言っているお母さん、お父さん。みなさんは今、ちゃんと勉強し、本を読み、自分を高める時間を作っていますか？

一般的に、教育熱心な保護者の多くは、わが子に向き合い、子どもの勉強や生活を把握し、全力でサポートしている方が多いと実感しています。もちろん、それはすばらしいことです。しかし気になるのは、口ではいろいろ言うけれど「自分には甘い」ところです。

子どもには「勉強しなさい」と言いながら、その横でつい長電話をしたり、インターネットに夢中になったり……などということはありませんか？

子どもが学校へ行っている時間帯もすべて完璧な生活をしてくださいと言っているわけではありません。しかし子どもが家にいるときは、家事など親としての役割をきちんとこなしている姿はもちろんのこと、本を読んでいる姿、自分を高めるために勉強している姿などを見せることも必要です。そんな親の姿は、強いメッセージとなって子どもの心に深く刻まれていくことでしょう。思春期の難しい時期こそ、子どもに向き合う時間と同じぐらい「向き合わない時間を充実させる」ことも大切だと思います。

第3章

中学生だからこそ本を読もう

本を読まなくなる中学生

小学校の高学年ころから中学校にかけての時期、それまで読んでいた子でも、すっかり読書から離れてしまうこともあります。読書をしたいと思っても何を読んでいいのかわからなかったり、読書そのものに関心が向かなくなってしまうことで、だんだん本を手に取らなくなっていくのです。しかし、読書は国語力の基礎だということは誰もが知っていることですね。多くのお母さんたちは、わが子に少しでも本を読んでほしいと願っているのではないでしょうか。

もちろん、思春期の子どもたちですから、まず間違いなく親の言うことは聞きません。もし「本を読みなさい」とストレートに伝えようものなら真っ向から反発し、本など一切見向きもしなくなってしまうでしょう。

しかし私は、このように精神的にも難しい時期だからこそ、ほんの少しでも本の世界にも目を向けてもらいたいと思っています。彼らに本を読んでもらうためには、まず彼らを取り巻く状況、心境などを十分に踏まえておく必要があります。

それにしても、なぜ中学生は本を読まなくなってしまうのでしょうか。

中学生が本を読まないわけ ① 読書の時間が取れない

小学生の生活と中学生の生活では大きな違いがあります。最近、中1ギャップという言葉もさかんに言われるようになっていますが、最近の子どもたちはその変化に戸惑い、学校生活になじむのに苦労していることが多いのです。勉強面では、学校の授業では科目ごとに担当の先生が替わります。教科書は分厚くなり、内容はより抽象的なことがらも増えてきます。初めて経験する「定期テスト」もあり、やるやらないはともかく「やらねばならないこと」は確実に増えます。

部活動もまた、子どもの生活に大きな影響を与えるものの一つです。活動の仕方にもよりますが、熱心な部では、朝の練習はもちろん、週末や長期休みも練習や試合がありますから本当に忙しくなります。その上、塾や習い事に通う子もいます。小学生のころとは比べものにならないほど、どの子も忙しくなってきます。このように中学校時代は、明らかに本に向かう時間が物理的に少なくなってしまうのです。

中学生が本を読まないわけ　②　心身の成長が著しい

小学校から中学校にかけては、心身ともに大きく成長する時期です。このような成長期は何もしなくても、ものすごくおなかが空きますし、やたらと眠かったりするものです。中学生ぐらいになると、休みの日にはもうひたすら眠っていたりすることもあるでしょう。思春期とは、そういう生理的な欲求が高まる時期でもあるのです。本を開いてもすぐ眠くなってしまいなかなか集中できないのは、中学生がそんな成長期の真っただ中だからともいえます。

また、第二次性徴の時期でもあり、男女ともに異性に対して、非常に強い関心を持つようになります。ほんのちょっとのことで好きになったり嫌いになったりと、とにかく頭の中は気になる男の子、女の子のことでいっぱい、なんていうことも。これはみなさんもかつて経験されたことでしょうから、ご理解いただけると思います。そんな時期にゆったり本に向かえと言われても、かなり難しいに決まっています。

中学生が本を読まないわけ　③　携帯電話への依存

今や、中学生でも多くの子が携帯電話を持つようになりました。学区外の学校や塾へ通うなどの事情から、小学生でも自分の携帯電話を持つ子もいます。しかし、一度携帯電話を持ってしまうと、その世界にのめりこんでしまう子がほとんどです。その依存度たるや、凄まじいものがあるのはすでにご存じの通りです。

とくに中学生では、友だちとつながっていたいという願望が強く、携帯電話をものすごく欲しがります。まわりに気づかれないところで、友だちとつながっていることが嬉しいし、優越感も感じられるからです。

しかしこの携帯電話もまた、読書時間を減らしている原因だということは明らかです。食事中でも入浴中でも気になって仕方ないというのですから、読書の入るすきなど全くありません。

これは中学生に限らず、多くの大人にもあてはまる問題でもあります。実は、私自身も携帯電話にはかなりとらわれています。食事中でもメールの着信に気づいたらすぐに返信してしまうこともありますし、ニュースも携帯サイトでチェックすることが多くなってきました。とても便利ですし、人とつながるツールとして必要不可欠です。だから中学生の子どもたちが携帯電話に没頭していることについては、頭ごなしに否定することはできません。もし中学生で携帯電話を与えるのであれば、そこにはいろいろな危険もあることなど、携帯電話との付き合い方をきちんと教えてあげてほしいと思います。

中学生が本を読まないわけ　④　読書より勉強が優先

とくに高校受験を控えている場合は、本を読むことよりも勉強を選びがちになります。親や学校の先生たちは「いい学校に合格してほしい」と願っていますから、とにかく勉強させたいと思っています。学校の勉強はコツコツやっていれば点数が取れますから、真面目な子ほど、読書より勉強を選んでしまう傾向があります。

読書をすると国語力が上がると言われますが、どんな本を何冊読めば力がつくというものではありません。効果が明確ではない読書に対しては、親も子も魅力を感じにくいのでしょう。また、学校では勉強が第一ですから読書を強くすすめるというところは少ないのかもしれません。あるいは、読書をすすめたくてもそこまで手が回らないのかもしれません。いずれにしても、そのような環境が、子どもを本から遠ざけているといえるでしょう。

それでも中学生は本を読むべきである

様々な要因によって読書の時間が削られている中学生。しかし、それでも中学生の今だからこそ、本を読んでほしいのです。これはすべての中学生へ向けた、私の心からのメッセージです。中学生だからこそ読まねばならない、と言い切ってもいいぐらいです。

それはもちろん、国語を始めとしたすべての教科の基礎となる力がつくから、という理由もあります。が、それだけではありません。読書は中学生という激動の時期を乗り切る大きな助けにもなるからです。

では、読書にはどのような効能があるのでしょうか。

拙著『小学生のための読解力をつける魔法の本棚』の中では3つの効能をうたっていますが、ここではとくに思春期以降の子どもたちにとって、どんな効果があるかを説明していきましょう。

読書の効能① 読解力がつく ものごとを見る目が養われる

読書をすると読解力がつく……これはすでに誰もが知っていることだと思います。国語の成績が伸びない生徒に読書をすすめるのは、本を読むことで確実に読解力がつくことを経験的に知っているからです。では、なぜ読書でなければならないのでしょうか。

いろいろな本を読む経験が、物語の展開を読み取ろうとする想像力を育てるからです。その想像力が高まるほど、読解力もまた高まるのです。

たとえば、主人公が様々な迫害を受けながらも強く生きる、という物語はよくあります。『フランダースの犬』では主人公の死という悲しい結末を迎えます。しかし同じような設定の物語でも『家なき子』はハッピーエンドです。読者は過去に読んだストーリーを下敷きにしながら、物語の展開を「きっとこうなるだろう」と予測しながら読んでいます。しかしその予測はたいてい裏切られ、予想外の展開をしていくものです。このような「右往左往しながら読む」ことで、「あれ、ここでこうなるのか」とちょっとした驚きを感じることができます。このプロセスを通じて、その作品と他の作品の違いや特徴、主題をとらえる力がつきます。

みなさんも、たとえばテレビで虐待のニュースなどを見ると、ご自身の子育ての経験と重ね合わせて想像し、胸がふさがる思いをすることがあるはずです。読書も同じで蓄積があると、次に読むものもただの情報としてではなくて「生きた世界」としてとらえる習慣がつきます。読書の経験が、次に出会う作品に対する感受性を高めるから、自然と深く読み取ることができるようになるのです。

これは、実際のテストでも効果を発揮します。読み慣れている子は国語の長文読解の文章を読むと、すぐに大事なところがパッと目に飛び込んできて、ポイントをつかむことができるようになるのです。

読書の効能 ② 語彙が増える

たとえば物語の中では同じ「嬉しい」という感情を表すのも、作者によって表現は異なりますから、読書経験が豊かな子は、その度に「生きた表現」としての言葉にふれ、自然と語彙が増えてくるのです。

ところが、中学生になると仲間同士の楽しみを最優先し、読書に目が向かなくなります。友だちとの会話で使われる言葉は、テレビのバラエティー番組の影響を受けたようなものが主流で、語彙は乏しく表現も平板な印象があります。

しかし一方で中学生は感受性が強く、様々なことを感じ取りますから、表面的な友だち付き合いに、どこか満足できないでいる子も少なくありません。ひょんなことから友だちとの会話が深まり、知りうる限りの表現を駆使して少し大人びた会話を楽しむ機会もあるでしょう。実際、中学校生活の場でも部活動や生徒会活動などで何か問題が起こり、解決しなければならないということがあります。そんな話し合いの場で、語彙が乏しければ自分の思いを的確に伝えることができず、もどかしい思いをすることでしょう。

中学生が、家と学校、部活動や塾という限られた日常生活の中だけで語彙を増やそうとしても無理があります。読書では、自分が日頃ふれることのない様々な言葉、表現に接することができます。より多くの言葉に接する、最も簡単な方法の一つが「読書」なのです。語彙を増やすことは言語力につながります。そしてこの「語彙」は、文章の中で他の言葉と結びついて意味を担う生きた語彙になります。ニュアンスや機微（陰影）を伴い、血の通った言葉のネットワークが根を張っていくのです。そんな語彙の土壌があれば、友人たちからも一目置かれる存在になるのではないでしょうか。友人とのコミュニケーションを大切にする時期だからこそ、読書に親しみ、言語力のもととなる語彙力をつけてほしいと思います。

読書の効能　③　人間力がつく

読書によって身についた読解力により、対人関係においても相手のことをよく理解できるようになり、人があまり注目しないようなところに目配りができるようになるなど、洞察力が高まります。相手の言葉の紡ぎ方から、その人が何を言いたいのかくみ取れるようになり、適切な状況判断ができるようにもなるでしょう。

また誰でも、ある出来事や矛盾などに対して表面的な部分には気づきますが、よく本を読んでいる子は、さらにその奥深くにあるものも見逃しません。つまり、ものごとの本質を理解する力も身につくのです。同じような初期条件でも、本によって千差万別の展開や結末に分かれますが、読書することで、それらの様々な状況を追体験することがかないます。つまり、因果関係のパターンがたくさん心の中に蓄えられるのです。こうしたことが、人間力を育みます。周囲が想定していること以上のことを自分で工夫して成し遂げる力を生み出すのです。

さらに読書経験を積み重ねることは、その子の価値観を培います。じっくりと考えることができる子は芯がしっかりしていて、友人関係に流されることも少ないものです。もし流されたとしても、気づいたときにはきちんと反省できます。問題は反省できない子です。たとえば学校で何か問題を起こして叱られても、「ああ、それは悪かったですね。ごめんなさい」と表面的に謝ることはしますが、真に反省している様子はありません。人間には根本に立ち返って反省する力も必要です。その力を育てるのも読書なのです。

以上の3つが読書の効能の大きな柱です。中学生は最も自分自身のことが嫌いで、できれば内面と対話などしたくもないという時期です。しかし、それがエスカレートしてしまうと、自己顕示欲が強く、反発ばかりして、学習意欲が落ちてしまうという最悪の結果を招いてしまいます。では、読書は思春期の中学生の心と学力の両方に対して、どのように「効いてくる」のでしょう。具体的に説明します。

読書が揺れる心を支えてくれる

中学生の心が波立つ理由の多くは友人関係にあります。友だちの中に身を置くことは楽しいものですが、反面、どうしても強い仲間の意見に同調しなければならない「我慢」も必要になります。そして自分が友人たちから本当に受け入れられているのか、認められているのか不安になることも少なくないでしょう。また、友人との関係に心を砕くだけの毎日ではつまらないし、辛くなることもあるでしょう。個人差はありますが、一面的な友人関係では飽きたらず、もっと奥深い世界と向き合いたいと感じる子もいるはずです。本の世界は、そんな中学生の揺れる心を支え、救ってくれます。

私自身、本に助けられた経験があります。中学1、2年生のころでした。クラスはいつもにぎやかで、心落ち着かない日々を過ごしていました。必要以上に周囲を意識しすぎてか、自分らしくない振る舞いをしてしまうこともありましたが、自分のそんな行動がすごく嫌でした。自分を見失いそうで不安でした。

そんなとき、国語の授業で志賀直哉の『城の崎《きのさき》にて』を読むことになります。この作品には、本当に救われました。相変わらず騒がしいクラスの中にいるのですが、なぜかこの作品に向かっているときだけは、すーっと静かな作品の世界に入れたのです。作品から得られた安息感、落ち着きによって自分を取り戻せたようでした。今思えば、まさに「静謐《せいひつ》」の境地です。『城の崎にて』は大人向けの小説ですが、書かれていることは中学生の自分にも通じるものがありました。深く身にしみるものがあり、この小説のよさを感じ、理解できる自分もすごいと、一人悦に入ることもできました。今から思えば笑止千万ですが。

中学生の私が「文学にはこんなすごい力があるのか」と実感した出来事でしたし、このことをきっかけに、私は文学に強くひきつけられていきました。

中学時代に、こんなスペシャルな一冊に出会えることはあまりないことかもしれません。しかし、そこまでいかなくても、何らかの形で本に助けられることはあるはずです。

自分の「生」を見つめるきっかけになる読書

中学生ぐらいですと、まだ身近な人の死に遭遇していない子が多いと思います。しかし、なぜか漠然と「死」を意識し始めるものです。それはとても恐いものとして子どもたちをとらえます。痛いこと、悲しいこと、虚無、暗黒…誰も避けることができないこととして子どもたちに無力感をもたらします。その絶対性に対し、あるときにはかっこいいもののように感じたり、どこかあこがれを持ってしまうことすらあります。

本の世界では「生死」にまつわることがらもよく登場します。本の中で「生と死」にまつわる様々なことを疑似的に体験すれば、自分の「生」と向き合うきっかけも生まれます。

ともすると暴走しがちな危うい時期ですが、読書を通じて様々な「経験」を積んでおくことで、か弱い自分が、むき出しの死に直接さらされることもなくなります。そして、悲しみや悔しさといった情緒を通じ、命の大切さに気づくことになるのです。

親に反発する中学生に本をすすめるのは無謀か?

小学校のころは素直に親の言うことを聞いていた子でも、中学生になるとそう簡単にはいかなくなります。親としては、少しでも書物にふれさせて知識や教養を身につけてもらいたいし、何より、目の前の進学を思うと、少しでも読解力をつけてほしいと焦ります。しかし、中学生に「もっと本を読んだら?」と口を出すのは、間違いなく逆効果です。この時期の子どもは親の言うことに対しては、すべて「ノー」と答えるものです。勉強は難しいし、部活で忙しく人間関係でも悩み多い時期ですから、一方的に読めと言われても「いつ読めって言うんだよ!」などと反発して当然でしょう。

もちろん子ども自身も、本当は読書をした方がいいことはわかっています。だからこそ親に本をすすめられるのは、すごく嫌なことなのです。お母さんやお父さんだって「勉強しなさい」と言われたとたんに、やる気をなくしてしまった経験があるでしょう? あれと全く同じことなのですから。

親のすすめる本を嫌がる理由

子どもが言うことを聞かないのは大前提としても、親のすすめる本の内容にも問題があるかもしれません。大人が中学生にすすめたくなる本といえば、教訓めいたものや名作と言われるものになりがちです。わが子の行く末を思えば、より上質な本をすすめたくなるのももっともですが。

しかし中学生は、そのような本は確実にことごとく敬遠するでしょう。「名作なんて古くさい」とか、「どこが面白いのかわからない」「そんなの読みたくない」と反発するに違いありません。そもそも仲間とのつながりが一番重要で、スリルやちょっとした「悪」を楽しみたい年代ですから、単純な感動ストーリーや、古色蒼然《こしょくそうぜん》とした名作に興味などあるはずはありません。

それまでの読書体験を総括する中学時代

中学生の読書についてお話しする前に、少し遠回りのようでもありましたが、多感な中学生との接し方にふれてきました。小学校のころのように一筋縄ではいかないのが中学生ですから、親もそれなりに覚悟が必要です。

読書についても、考えておかなければならないことがあります。それは、小学校時代のわが子と本の関わり方を振り返るということです。それはたとえば親がどういう本を与えたか、また読んであげてきたかをきちんと見つめ直し、一度区切りをつけておくということです。なぜそうすべきかというと、子どもが中学生になって大きく変わり、親の力の及ばないところへ行ってしまう節目の時期だからです。

具体的には、まず親がわが子の小学校時代の読書の傾向を思い出し、これからどういう読書経験をさせてあげられるかというビジョンを持つことです。中学生になったわが子と本の距離感を改めて踏まえ、もうひと頑張りしてください。ただし自我が芽生える時期ですから、くれぐれも過干渉でもなく突き放しすぎるでもなく、という微妙な力加減を忘れずに。

次項からは、中学生に本を読みたいと思わせる、具体的な提案をしていきますので、ぜひ参考にしてください。

本選びのハードルは低めに設定

中学生にもなったのだから、複雑で読み応えのある作品を何冊も読んでもらいたい……、ほとんどの親はそう考えるはずです。しかしそれを実現するのはかなり難しいことだと思います。まず親自身がそんな読書経験をしていたかというと、多分そうではありませんね。中学校時代に読んだ本のタイトルを思い出してみても、分厚い本をたくさん読んでいたという方は少ないのではありませんか？

わが子に理想を求める気持ちはわかりますが、子ども自身が「これなら読めそうだな」と感じられるようなアプローチの方が、よほど効果的です。ご自分が中学生のころどうだったかを想像しながら、そのころの自分ならどういう本を読みたいと思ったか…そこをベースに考えていくと、理想にがんじがらめになった考えから解放され、自然とハードルが低めの本を見つけやすくなると思います。

名作マンガをすすめてみる

わが子に本をすすめるとき、たとえば人がいいと言っている名作であっても、自分が知らない本をすすめるのは難しいことです。さらに、今どきの流行りの本からよいものを見つけ出すのは、どうしてもお母さんの目線になってしまいますから、やはり困難だと思います。

自分がこれはいいとすすめる本が見つからないというときは、昔お母さんやお父さんが愛読していたマンガをすすめてみてはいかがでしょう。マンガ文化が発達した日本には、名作と言われるマンガが数多く存在しています。

私のマンガ体験からおすすめするのは、手塚治虫の作品です。手塚作品の世界は中学生の自分にとっていつも新鮮でした。そして、今でも『ブラックジャック』『三つ目がとおる』『火の鳥』などは、どれも名作として数えられています。

たとえば『ブラックジャック』では、それまで知らなかったいろいろな病気を知ることができました。また、撃たれてケガを負った逃亡中の政治犯をブラックジャックが助けたものの、結局は死刑になってしまう理不尽さ、人にはわかりにくいブラックジャックの優しさ、彼の存在のアウトローな感じ……そういう世界は、大人の本を読むまでの、「書物のすき間」を埋めてくれたように思います。私にとって手塚作品は、まさに小学校時代の読書から中学校時代の読書への掛け橋のような存在だったのです。

また実際に、麻布の生徒に『ブラックジャック』をすすめ、意外に多くの生徒が読んでくれて「面白かった」と感想を寄せてくれているのは嬉しいものです。マンガであれば、子どもも親の話に耳を傾けてくれるかもしれませんし、今までとは違うチャンネルで子どもとつながることができるかもしれません。

もちろん、現代のマンガの中にも内容が深く充実した作品はたくさんあります。テレビドラマの原作にマンガ作品が多いことからもおわかりいただけることでしょう。マンガを読んでいるからといって、頭ごなしに叱るのではなく、子どもがどんな作品を読んでいるのか、自ら手に取って理解する努力もしてほしいと思います。

いつもリビングに本を

これも常套手段ではありますが、リビングなど子どもがくつろいで過ごしている場所に、さりげなく本を置いておくのも効果的です。目につきやすいところに置いておけば、タイトルや表紙のイラストなどに引かれて、ふと本を手に取ることがあるはずです。

ここでポイントとなるのは、あえて難しい本を置かないことです。ベストセラーの中にも、中学生でも読めるものがあります。スポーツ選手のエッセーなども読みやすいでしょう。絵本だって構いません。そうなるとかなり本を手に取るハードルは低くなってきますね。それにスポーツ選手の本を少し読むだけで、部活動で頑張る支えになり、友だちと話をするきっかけにもなるでしょう。

子どもに読ませたい本も「自分のために買う」のが鉄則

子どもの目につくところに置いておく本は、いかにも「あなたに読んでもらいたいのよ」という匂いをさせてはいけません。中学生はそういうことを敏感にキャッチし、敬遠します。「わざわざ買ってきてあげた」という雰囲気だけでも、反感を覚えるでしょう。そうではなくて、あくまでもお母さん、お父さんが自分のために本を買ったり借りたりしてほしいのです。親が読んでいるとはいえ、家にたくさんの本が置いてあったら、ふとした瞬間に本を手に取り、ひまなときには1ページぐらい開くこともあるはずです。

親の部屋にたくさんの本が並んでいて、それを子どもがこっそり読んで楽しんでいた、そこが読書体験の原点だというようなエピソードはよく聞かれます。家にたくさんの本があることは、それだけで読書しやすい環境だといえるでしょう。もしかしたらお母さんの本棚に昔なつかしいマンガが並んでいることもあるかもしれません。そういうところから興味を持ってもらうのもいいですね。そうやって「本に慣れる」ことが、読書への道の第一歩なのですから。

あまり効果がないように見えても、中学校時代はとにかくそういう努力を惜しまないことです。親が何もしないでいると、子どもは「読まなくていいんだ」と楽な方向へ走ってしまうからです。ともすると無益な行為に思えるかもしれませんが、親が工夫をこらし根気よく続けていけば、中学生なりに「やっぱり読まないといけないなあ」と思うようになります。すぐに反応がなくても、何らかのメッセージは伝わっていますから、ぜひ続けてください。必ず、本の世界に向かうきっかけとなるはずですから。

身近な作品からすすめてみる

現代作家の小説には、実際にある地域が舞台になっているものも多くあります。みなさんのお住まいの地域、あるいはその近隣が描かれている作品もあるかもしれません。よく知っている地域の様子や、具体的な地名、実在の建物や公園、通りの名前などが出てくる作品を読むと、親近感を抱きますし、読みやすいものです。読書に慣れていない子どもでも、そういうファクターがある作品だと思わず読み進めてしまうかもしれません。

たとえば、宮部みゆきさんの作品には、よく東京の下町が登場します。私自身が下町育ちなので、とてもリアルにイメージしながら読み進めることができます。また、読後にその近辺を歩きながら「ああ、あの作品に登場したマンションは、ここかな」などと、現実世界で舞台となった場所を探して楽しんだりもしています。

地域と結びついている作品はどんなものがあるかという情報は、地域の図書館などがまとめていることが多いので、問い合わせてみるといいでしょう。また書店でも地元が舞台になっている小説は、売り場にポップなどを立てて大きく宣伝販売していることもあります。

旅行の体験から読書への扉を開こう

中学生ころまでは、家族そろって旅行するご家庭も多いと思います。国内外は問いませんが、旅行先で少しだけでもいいので、読書へのきっかけ作りをすることをおすすめします。観光地へ行くと、たとえば文学碑があったり、有名作家の生家があったり、あるいは歴史上の人物に関連した情報にふれることも何かしらあるでしょう。そういうものに対して、関心がないとただ通りすぎるだけで、旅の目的はホテルや温泉、エステやご馳走へと目が向きがちです。しかしせっかくいつもとは違う土地を旅するのですから、文化的背景にも興味を持ってほしいと思います。

親子の楽しい会話の中に、「あの作家ってここの出身だったんだね」とか、「有名な小説の舞台になっているんだね」といった具合に、読書につながりそうな情報もさりげなく織り込んでみてください。もちろん歴史上の人物について語り合うもよし。自然に話がはずんで、互いに読んだ本の話題になることもあるでしょう。親の愛読書にも、もしかしたら「読んでみたいな」と関心を持ってくれるかもしれません。実際に行ったことのある場所が出ている作品なら、読みやすいのではないでしょうか。

これはとくに理系志向で、あまり物語や小説に縁がなかったという場合に効果的なアプローチです。麻布学園でこれまで出会ってきた生徒たちを思い起こすと、地理好き、歴史好きには意外に理系の生徒が多いように思います。旅行先の地形や環境、歴史などその子の好きなジャンルから読書へ導く、一つの方法として覚えておくといいですね。

社会問題を背景にした作品を選んでみる

中学生から高校生にかけては、様々な社会問題に対する自分の気持ちが育っていく時期でもあります。社会問題に直接影響を受けることはまだ少ないかもしれませんが、戦争、飢餓、様々な病気、貧富の差、理不尽な権力……、中学生はそういう問題をどこかで感じながら生きています。

私が子どものころ、1970年代には公害問題が噴出していました。それは高度経済成長の副産物でしたが、水俣病、光化学スモッグ、四日市ぜんそくと、場合によっては私たちの命をも脅かすようなものが生み出されたのは、科学の発展の結果でもありました。高度経済成長の中にあって、すべてを「いいこと」として肯定できなくなっていたことを覚えています。

このように、何らかの形で社会問題を感じ始める年代だからこそ、そういった問題を背景にしている作品を選んでみてはいかがでしょう。古い作品ですが、たとえば松本清張の代表作でもある『点と線』は、官僚の汚職事件という社会問題を背景にした推理小説の名作です。電車の時刻表を読み解くことで事件を解決に導いていく、発表当時は斬新な推理小説として大変話題になりました。大人の世界の話なので、中学生には不向きと思われるかもしれませんが、たとえば小説の中で描かれている理不尽な権力や貧富の差、人間の悲しさなどは、意外に中学生の心に響きます。むしろ、社会問題に対する見方ができかけている時期に、こういった作品を読むことは、重い印象を持つ一方、とてもスリリングで、大人の世界への扉を少し開くことができた喜びを感じるでしょう。社会問題が描かれているという要素も、本を選ぶときの指標にしてみてください。

一冊まるごと読破する必要はなし

みなさんはこれまで、一冊を全部読み切ったという本は何冊ありますか？　途中で読むのをやめてしまった本は誰にでもありますよね。それも1冊や2冊ではありませんね。読めなかったことに、ちょっとした罪深さを感じている人もいるかもしれません。私も、読み通せなかった本はたくさんあります。

本は全部読み切らなければならないのでしょうか。いいえ、そうではありません。本によっては、興味のあるところだけ拾い読みしてもいいのです。

子どもに本をすすめるときも同じです。仮に読み始めたとしても、読破できる可能性は限りなく低いと思っておいたほうがいいでしょう。読めなかったとき、お母さんはどう感じますか？「せっかく読み始めたのだから、もうちょっと頑張って読んだらいいのに！」とか、「あの程度の本も読み切れないなんて情けない…」などと感じたことはありませんか？　たとえ口に出して言わなくても、子どもはそういう雰囲気を敏感にキャッチします。そして挫折感を味わい、次の本へ向かおうという気持ちは完全に失われてしまうのです。

本はまるごと一冊読み切らなくてもいい。このことは子どもにもしっかり伝えてあげましょう。ほんの1章でも、1段落でも、場合によっては数ページでも読んだのですから、まずはそこを評価してあげてくださいね。

とくに拾い読みに適しているのは科学ものやエッセーなどです。たとえば、数学の世界を面白く解説しているハンス・マグヌス・エンツェンスベルガー著『数の悪魔―算数・数学が楽しくなる12夜』（晶文社）という本があります。12の物語で構成されているので、気になったところを拾い読みするだけでも楽しむことができる作品です。また、自伝的エッセーでは物理学者ファインマンの『ご冗談でしょう、ファインマンさん』（岩波現代文庫）もおすすめです。中学生が読破するのは難しいところもありますが、ファインマンの子ども時代のエピソードの部分であれば、楽しく共感しながら読めるでしょう。寺田寅彦の『科学と科学者のはなし』（岩波少年文庫）も、科学に興味があれば中学2年生で十分読めるはずです。

夏休みの宿題を読書のきっかけにしよう

学校にもよりますが、夏休みなど長期の休みに読書感想文が宿題に出ることがあるでしょう。これは大きなチャンスです。たとえば読む本が指定されていない場合、子どもは何を読んでいいのか困っていることがほとんど。そういうときは、ぜひ時間を取って親子で本探しに出かけましょう。お母さんが事前に少し調べてから出かけると、見つかりやすいかもしれません。書店や図書館では、たとえば装丁、手に取りやすいかどうかといったところから選んでみてください。

そして、たとえ買ってあげたものでも、「全部読まなければダメ」という強制はしないことです。途中まででもいいですし、何しろ宿題ですから、嫌々でも少しは読んでくれるはず。

それだけでも大いに評価してあげましょう。

子どもに「読む本がない」と言われたときに、親が「自分で探してきなさい」とお金だけ渡すパターンは最悪です。小学生向けでもないし、大人向けでもない本、中学生向けで、自分に合った本などそうそう見つかるものではありません。ぜひ本書の巻末にあるブックリストを参考にし、親子で話し合いながら、本探しをしてください。

ライトノベルの問題点

中学生が夢中になって読む本に、ライトノベルという中高生向けの小説があるのをご存じでしょうか。確かな定義はないようですが、一般にアニメ・マンガ風のイラストが多用されていて、奇抜なストーリー展開で読者をひきつける作品が多いようです。それだけに一度読み始めるとはまってしまう中学生は少なくありません。

親としては、マンガではなく本を読んでいるのだから問題はないと思うことでしょう。しかし、安心してはいけません。少なくとも私はライトノベルは、本書ですすめる読書とは別ものだと考えています。なぜなら、ライトノベルはどうしても作家の独創性よりも、いかにして読者の気に入る内容にするかに重点が置かれているから。文章表現も読みやすいのでどんどん読めるのですが、積極的に読み取ろうという努力なしに読めてしまうので、読解力を深めるという読書の目的にはなじみません。読解力とは、作者の主張があり、それを読者が理解しようとする力です。自分とは違う発想に寄り添い、読み取る力が読解力ですから、ライトノベルにはその力を培う土壌は、あまり期待できないと言えるでしょう。

もちろん、絶対に読んではいけないということではありません。問題は「それぱかり読んでしまう」ことです。ライトノベルはいわゆるサブカルチャーと呼ばれる文化的領域を担う媒体でもあります。もしお子さんがライトノベルと思われる作品に夢中になっているようだったら、一定の理解や、尊重する姿勢を示しつつ、他のジャンルの存在にもさりげなく気づかせ、導いていきたいものです。

芸能人の書いた本にも目を向けてみる

中学生にフィットする本が少ないことも、中学生を読書から遠ざけています。小学生から中学生への変化の時期に適当な本はなかなか見つかりません。そのため、小学生のときは読書家だった子でも、一時的に本を読まなくなることもあるほどです。

そんなときは子どもが何に興味を持っているのか注意してみてください。たとえばテレビを見ているときなどに、子どもの主張が見えてくることがあります。動物好きだったり、スポーツ観戦が好きだったり、芸能人の誰が好きといったように。読書のきっかけにするのであれば、好きな芸能人が書いた本や、その芸能人が強くすすめている本を読むところから始めてみてはいかがでしょうか。

たいていは様々な苦労を乗り越えて成功していますし、そこまで登りつめてきた背景にあるのは「好きこそものの上手なれ」と「ひたむきさ」です。これは中学生ころの、先が見えずに苦しんでいる子どもたちには励みになるのではないでしょうか。私も、芸能人が書いた本を何冊か読んだことがあります。生徒にすすめられて読んだのですが、どこか訴えかけてくるものがありました。また、読書家の芸能人もたくさんいます。そういう人たちの書いた本を読んでみてもいいでしょう。

読書が苦手な中学生におすすめの本

読書が苦手な子は、おそらく本の世界に浸る楽しさ、読み切った後の達成感などが感じられず、必要以上にコンプレックスを抱えています。少し頑張れば読めるかもしれないのに、なかなか本の世界に入り込めず挫折してしまいます。しかし、もし1冊でも読み切ることができれば、きっと自信につながるはずです。

そこで本章の最後では「中学生ころの子どもが読みやすいテーマ」で、「読む楽しみを感じられる」本を厳選してご紹介します。中には絵本もありますが、私が選んだのにはそれなりの意味があります。ぜひ参考にしていただきたいと思います。

① 浜田廣介著　『泣いた赤おに』（小学館文庫—新撰クラシックス）
幼いころに読んだことがあるかもしれませんが、あらためて中学生にもおすすめしたい童話です。なぜなら、中学生だからこそ感じられる部分がたくさんあるからです。日常の苦しさを知っているだけに、物語の中で展開される友だちを失う赤おにの気持ちに寄り添うことができるでしょう。悲しみや切なさを実感し、我が身に置き換えて想像をふくらませることもあるはずです。

② 矢部美智代著　『かげまる』（毎日新聞社）
かげまるはけんたくんという男の子と一緒に生まれた影。二人はずっと一緒でしたが、けんたくんは5歳になると急にかげまると話をしなくなります。自分の存在にもう一度目

を向けてもらいたくて、かげまるは旅に出るのです。絵本のようなとても読みやすい物語です。小学校低・中学年でも読めるのですが、影に注目させるところが深みを感じさせてくれる作品です。読書が苦手な子でも、この本ならすぐに読めるはずです。続編にその3年後の様子を描いた『かげまる　はなれていても、いっしょ』もあります。

③　宮沢賢治著『銀河鉄道の夜』（新潮文庫）

主人公が子どもなので、読者の日常と重なる部分が多く、比較的読みやすい作品だと思います。そして何より魅力的なところは、夜の美しさや豊かさが描かれているところでしょう。思春期の多感な子どもたちにとって、夜は様々なイマジネーションを触発するものでもあります。また、銀河鉄道そのものも魅力的です。鉄道好きな子どもたちにとってはたまらないモチーフです。ロマンあふれる夜汽車の旅にあこがれる気持ちにこたえるような作品でもあります。中編作品ですから、ちょっと頑張れば読み切ることもできます。名作だけに、読み終えたときの達成感もひとしおなのではないでしょうか。

④　フィリパ・ピアス著　高杉一郎訳『トムは真夜中の庭で』（岩波少年文庫）

主人公のトムは知り合いの家に預けられますが、友だちもいなくて退屈していました。そんなときに、その家の時計が真夜中に13回もときを打つのです。そして、昼間にはなかった庭で、出会った少女ハティ。二人は楽しい時間を過ごすのですが、実はその少女は……。ストーリーの一部始終がわかってしまうので、これ以上は紹介できませんが、とにかく誰が何度読んでも面白い作品だと断言します。子どもの心理がよく描かれていて、心にしみいるような作品なのです。

特徴的なのは子どもの遊びがたくさん出てくるところでしょう。子どもだけの世界が描かれています。中学生になって読むと「あのころは自分もこんなふうだったな」というように、子どもなりに懐古的な気持ちもわいてくるはずです。ぜひ、読んでみてください。

⑤ 関川夏央・谷口ジロー著『坊っちゃんの時代』(双葉文庫)

青年誌に連載されていたマンガをまとめたものです。夏目漱石が生きていた時代、明治時代のある時期の日本を舞台に、夏目漱石を中心にして描かれている作品です。時代背景を押さえつつも、漱石の毎日の暮らしぶりが面白く描かれています。読みものとして敷居は低いですが、それなりに文化的香りがするので読み応えもあります。

夏目漱石の作品には、この本のタイトルにもある『坊っちゃん』など中学生でも読みやすい作品がありますが、彼らにとっては古典的名作ということでとっつきにくいかもしれません。マンガを通して漱石に親しみを感じ、明治の暮らしを知ることで漱石の作品にも目が向くという意味でもおすすめです。

⑥　ロバート・A・ハインライン著　福島正実訳　『夏への扉』（ハヤカワ文庫）

１９５６年に発表され、いまだに人気が衰えないSFの名作です。これも読み始めると、どんどん引き込まれていきます。また、猫が重要な役割を果たしているので、猫好きにはたまらないのではないでしょうか。いわゆるタイムトラベルものですが、恋人への想い、ねじれた恋愛感情がストーリーのきっかけにもなっていますので、異性に関心を持ち始める中学生の心にも響くでしょう。

決して短い作品ではありませんが、読み切ることができたら、確かな自信になるのは間違いありません。思わず友だちへすすめたくなるほど、SFの醍醐味を感じられる一作です。

⑦　筒井康隆著　『七瀬ふたたび』（新潮文庫）

筒井康隆さんが『家族八景』の続編として書いた作品。主人公の七瀬は、生まれながらにして、人の心を読むことができる超能力者です。前作ではお手伝いとして働いていましたが、テレパスであることがばれるのを恐れて旅に出るのです。そして超能力者を抹殺しようとする悪の組織と戦うのですが…。悪との戦いを繰り広げるところはまさにスリル満点です。主人公の七瀬という女の子の鋭さ、危うさは、まさに10代の子どもたちの心に響きます。共感しながら、どんどん読める作品です。

⑧　宮部みゆき著　『蒲生邸事件』（文春文庫）

主人公は予備校を受験するために上京している受験生。滞在先のホテルが火事になり、時間旅行の能力がある男に間一髪で助けられるのですが、そこは昭和11年、おりしも二・二六事件の当日だったという奇想天外な設定が、読み手をひきつける作品です。推理小説ではありますが、同時に歴史的背景を臨場感たっぷりに描いていて、読み出したらとまらなくなるはずです。歴史に興味があれば、いっそう興味深く読めるでしょう。

⑨　H・G・ウェルズ著　斉藤伯好訳　『宇宙戦争』（ハヤカワ文庫）

宇宙に生物がいるかもしれない、という思いは子どもたちの見果てぬ夢です。この作品は異星人が襲来するという設定で、いつの時代にも共通する親しみやすい、不朽のテーマといえるでしょう。とくに情景描写が素晴らしく、古典的なサイエンスフィクションとして読み継がれています。個人的にはやはり結末にうならされました。無敵に思えた異星人が思わぬものに負けてしまうのですが、それは読んでのお楽しみ。

⑩　村山早紀著　『コンビニたそがれ堂』（ポプラ文庫ピュアフル）

コンビニは私たちの生活に身近な存在です。誰もが必要なものを求めて気楽に入ることができます。しかしコンビニたそがれ堂はちょっと変わったコンビニです。6編の短い物語で構成されている本書では、それぞれの物語の中に大切なものを失っている人たちが登場し、引き寄せられるようにこのコンビニたそがれ堂に入っていくのです。そして、本来のコンビニではあるはずのない、登場人物たちが失ってしまったものをそこで見つけるのです。物語の中では人々が癒やされていく瞬間が描かれているので、心にほっこり染み入ります。また読者を広く想定していることもあり、本をあまり読まない人にもすっと寄り添ってくれる優しさのある作品です。装丁も親しみの持てるやわらかさがありますので、手に取りやすいのではないでしょうか。

第4章

実践！ 読解力を高める読み方

読み方次第で読解力はつく

ここまでは、中学生と読書の関係について述べてきました。中学生という多感な時期だからこそ、本は心の糧になります。しかし、読書をするからには「読解力を高めてほしい」「国語の成績がよくなってほしい」というのがお母さんたちの本音でもあります。

たとえば、ずいぶん本を読んでいるのに読解力がつかない、国語の成績が今ひとつというケースは、珍しいことではありません。いったい何が問題なのでしょう。

それは、「読解力を高めるための意識的な読み方」ができていないからです。たとえば中高生に人気のライトノベルなどは読みやすいのですが、ストーリー先行で心情描写などの奥行きが今ひとつ。行間を読み取るなど、読者に考えさせるような要素がほとんどありません。これでは、読解力を高めることは期待できませんね。読解力を高めるには、ある程度本の選定が必要です。これは本書の巻末にあるブックリストを参考にしていただきたいと思います。そして大切なのは「どう読むか」です。読解力を高めるために、意識してほしいところ、読み方のポイントを次項から紹介します。

読解力をつけるための具体的な方法

読解力を高めるためには、読み方のコツがあります。「意識的な読書」のための３つの方法をご紹介しましょう。これらを実践することで、文章への理解が深まり読み取る力が確実につきますので、ぜひ取り入れてほしいと思います。

①　ストーリーが変化するポイントを明確にするため、変化点には鉛筆などで○や「　」をつける。

意識的な読書に欠かせないのは、常に「どこが大切か」を考えながら読むことです。ていねいに読み込んでいくと、必ず著者が強く主張している部分があります。そこに注目できるかどうかが、読解力がつくかどうかの分かれ目といってもいいでしょう。読書とは楽しみの一つであっていいのですが、楽しいだけでは自分の気に入った部分ばかりが心に残るだけです。国語力をつけるためには、著者の主張に、いかに「耳を澄ますか」が重要です。

そのためには、まず場面が変化するところに注目するといいでしょう。たとえば主人公の心理が、ある事件をきっかけに変わるとか、周囲の人々との関係性が変化するというところです。それは事件や事故だけがきっかけになるわけでもありません。時間の切り替わり（朝になった、など）、場所の変化、新たな人物との出会い、そこで起きる出来事などが、変化点見極めのポイントです。

では実際に、誰もが知っているであろう芥川龍之介の『杜子春』を例に考えてみましょう。

無気力にたたずむ杜子春が仙人と出会います。仙人の言う通り地面を掘ると、たくさんの黄金が出てきて大金持ちに。しかし放蕩三昧の杜子春はすぐに使い果たして、一文無しになってしまいます。同じことを2回ほど繰り返したところで、彼は富を持つことのむなしさに気づきます。そして3回目に現れた仙人に、杜子春は仙術を教えてほしいと懇願するのでした。杜子春は修行のため峨眉山の頂上で一人残され、試練を受けます。そして最後に大切なことに気づくのでした。

このストーリーの流れの中には、たとえば仙人に出会うところ、峨眉山へ連れて行かれるところ、何があっても口をきいてはいけないと試練を与えられるところ、最後に仙人との約束を守れずに叫んでしまうところなど、場面や心情が大きく変化するところがいくつかあります。文字を追うだけで、なかなか内容が入ってこないような作品であっても、変化するところに注目しながら読み進めていると、結果として物語全体の流れや、心情の変化が心に残っていくものです。

②　気になったところ、好きな言葉、気に入ったフレーズがあれば、マーカーなどで線を引く。

本を読んで「ここは気に入った」「面白い表現だ」など、印象的に感じたところには、線を引きながら読んでみましょう。これはもう自分の感覚に素直に従ってやればいいので、結構楽しい作業だと思います。気に入った場面、かっこいいと感じた登場人物の言葉や、印象的な考え方…何でもいいので、まずはどんどん線を引いて読み進めていきましょう。と、ここまではあくまで自分の感覚に従って線を引いています。しかし、この作業に慣れてくるとだんだんその作品のポイント、大切なところに線が引けるようになってきます。この作業と、物語の変化するポイントに印をつけながら読むことをセットで行うことは、読解力向上のためには効果的です。「気に入った」「ここぞ」というところに線を引き、さりげなく変化点には「　」をつけておく。それだけでストーリーの流れを正確に把握しつつ、登場人物の心情の理解も深まっていきます。そしてここで培われる力は、「読解問題を解くときの大事なポイントに気づく能力」につながりますから、試していただきたいと思います。

③　読むのが面倒くさい、読みたくない部分は飛ばし読み。読まなかったところに印をつける。

どんな作品でも、妙に回りくどい説明になっていて読みづらいとか、読むのが面倒くさい部分があるものです。そんなときは思い切って飛ばしてください。ただし、どこを読み飛ばしたかがわかるよう、印をつけておきましょう。つまり読むのがつらい部分には印をつけて、どんどん先に読み進んでくださいということです。

　このような読み方をするのは意味があります。一つは読み飛ばすことで、結果として全編に目を通すことができるということです。数ページ読み飛ばしても、作品の全体像を把握することは十分に可能ですし、途中で話の流れがわからなくなってきたら、読み飛ばしたところに戻って読み直すこともできます。

　物語文であれ説明文であれ、いったんつまづいたところでも、全体像をつかめるとわかりやすくなります。他の要素との関わりが見えてくるからなのでしょう。

　面白いことに、こうして読み飛ばした部分こそ読解に必要なポイントが含まれていることが多いのです。やたらと説明が長いとか、あらためて物語の設定をたどり直しているような部分は、読むのがしんどいものです。しかし少しくどいなあと感じるほどの記述の後には、たいてい作者が最も伝えたいことが書かれているものなのです。とくに、複雑な心情描写などにはどうしても力が入るもの。詳しく説明している部分にこそ、作者の言いたいことが書かれているのだということを覚えておくといいでしょう。

　これについては、私も個人的に手痛い思い出があります。中学生のとき、授業で読んでいた作品の中でどうしても読みにくいところがあり、勉強もそこだけは手をつけないまま試験にのぞみました。ところが、そのとき試験に出たのはまさに私が読み飛ばした部分だったのです。やられたと思いましたね。しかし以後はこれを教訓にして、わかりにくかったところを重点的に勉強する知恵がつきました。国語だけではありません。英語の読解も「わからないや」と放っておいたところに限って、出題されたりするものではありませんか？

私自身は国語の読解問題を作成する側の人間です。しかしあえて読みづらいところを選び、「ここならわからないだろう」という意地悪な気持ちで出題するということは絶対にありません。あくまでも、その単元で最も大切だと考える部分を選んで出題しているだけです。いずれにしても、勉強するときは、「ちょっとわかりにくいな」と感じたところは、いったん飛ばしても最後にはちゃんと戻ってしっかり取り組むことが大切なのです。

読解問題の中にヒントが隠されている

読解力を高める読み方というのは、「ああ面白かった」で済ませない読み方です。難しいものではありません。前述したように内容を思い返し、どこがどう面白かったのか考えるだけです。傍線や印をつけてあれば、それを手がかりに作品の特徴や変化点を思い出します。つけていなければ、もう一度作品の流れを振り返ればいいのです。実際に体験したことでも、面白かった出来事や楽しかったハプニングは、何度も思い返すものですよね。写真やビデオを見てその思い出を復元するように、本の展開において大切な部分や印象に残った一節を確認して、作品世界をなぞることが意識的な読書と私が呼ぶ読み方なのです。

本を読み慣れている人はこれを自然にやっています。だから初読の国語の問題文を見ても臆することなく読み進め、作品の特徴や主張を的確に見抜くことができるのです。私自身、できるかできないかはさておいて、試験でどんな文章が読めるのか楽しみでした。

一方、そこまで国語が得意でなくても問題文に上手く向き合う方法があります。それは設問にしっかり取り組むことです。

いわゆる難関校と言われている学校は、入学試験の長文読解問題ではかなり難しい題材を読ませます。しかし、そういう学校の問題を見ると、多くは設問自体が答えを導くための伏線になっていることがよくあります。

たとえば、その長文について問1から問5までの設問があるとします。すると問1、問2と順番に答えていくと、最後の問4や問5の答えにつながる流れが何かしら見えてくることがあるのです。この流れに注目すると、自然と設問者の意図も読み取れるようになります。ある程度難しい文章を読ませて答えさせるわけですから、出題者としても設問で答えを誘導したいという思いもあります。

こういうと、問1で間違えてしまったらすべてアウトじゃないかと心配をされるかもしれませんが、そこまで意地悪なケースはまずありませんのでご安心を。たいてい、設問ごとに軌道修正できるようなしかけも作ってありますから。場面ごとの読み取りに集中できていれば、ある程度の修正はできるでしょう。

また、読解問題を出題する場合、ほとんどの出題者は、全体からバランスよく出題しようとするものです。たとえば、設問につながる傍線は後半部分にのみ引かれていても、実は本文の前半部分に張られている伏線に注目していないと、きちんと答えられないようになっていることがあります。まずは全体に目を通して流れを把握しておくこと、そして大切なところはじっくり読み解くことが求められているというわけです。

「中学生らしい」読み方とは　批判的な目線を意識しよう

拙著『小学生のための読解力をつける魔法の本棚』の中では、小学生向けではありますが、あえて「批判的に読む」ことをすすめています。小学生には少しハードルが高いかもしれないと思っていますが、しかし文章をきちんと読解するためには、批判的な目線は欠かせないものなので、あえて提言しました。

文章に向き合おうとすればするほど、書き手や登場人物の心情に対して「自分ならこうするのに」といった考えが浮かんでくるものです。書き手の考えにそのまま飲み込まれてしまっていては、冷静に読み解くことはできません。自分なりの視点を持って読むこと、それが「批判的に読む」という姿勢です。

何事に対しても反発したくなる年頃ですから、書いてあることを素直に受け入れないこともあるでしょう。もし、お子さんが本を読んでつまらなそうにしていたら、「どこが気に入らなかったの？」と聞いてみてください。もちろん最初はまともな答えは返ってこないでしょうから、そこは覚悟しておきましょう。

できれば「どこが気に入らないかとか、このフレーズがひっかかるというような、批評家っぽいことを考えるだけでも国語力がつくらしいわよ」などと、伝えてみるといいですね。聞いているかいないかわからないような反応を示すでしょうが、心の中にひっかかってくれれば、それで十分です。そうか、こうやって批判することも意味があるのか、と気づかせてあげてほしいのです。

お母さんも長文読解に挑戦してみよう

ここまでは、長文読解のコツをご紹介してきました。しかし、方法やコツを説明しているだけでは、長文読解がどういうものか、という理解は十分ではありません。そこで、ここからはお母さんやお父さんたちに、長文読解の実際を体験していただきたいと思います。

体験することで、子どもたちが日々どんな勉強をしているのか、理解していただけるでしょう。また、お母さんがこのような体験をしていることで、お子さんへの言葉がけもより効果的で配慮に満ちたものになるのではないか、という期待もあります。ぜひ、次項以降の現代文講座をお読みください。

〔お母さんのための現代文講座〕

◆教材　太宰治『走れメロス』

今回取り上げるのは、おそらくほとんどの人が内容を知っている、太宰治の『走れメロス』です。１９４０年（昭和15年）に発表された短編小説。フリードリヒ・フォン・シラーの詩をもとに創作されています。この作品は、約束を守ること、友情、誠実さ、正直さといったものが主たるテーマになっています。メロスは自らが殺されるために走り、その行動が暴君の心を動かし、人々が恐ろしい政治から解放されることになります。まさにメロスが英雄になっていく、そんなイメージをお持ちの方が多いのではないでしょうか。

しかし、あらためて読んでみると、意外な展開や驚きに満ちています。既成概念にとらわれず、中学生の気持ちになって素直に読み解くことを体感していただくのが、この講座の目的です。今回は作品の中から、とくに読解する上で重要なポイントを取り上げ、解説します。

【あらすじ】

若き牧人のメロスは、多くの人を次々と処刑しているシラクスの暴君ディオニス王の話を聞き、激怒する。王の暗殺を決意して城に乗り込む。しかしあえなく捕らえられ、即刻処刑されることになる。

メロスは妹の結婚式に出るため3日間の猶予を願い出るが、その際親友のセリヌンティウスを人質とすることにした。王はメロスを信じず、再び戻ってくることはないだろうと言った。メロスは妹の結婚式が終わるとすぐに城へと向かった。しかし川の氾濫や、メロスが戻ってくるのを妨害しようと王が差し向けた山賊に襲われ、心身ともに疲れ果て、一度は戻ることをあきらめかける。

しかし、再びメロスは走りだす。人間不信の王を見返し、親友の命を救うために。こうしてメロスは刻限までにシラクスの町に戻ってきて、約束を果たす。それは王の気持ちをも変えることとなった。

メロスは激怒した。必ず、かの邪知暴虐《じゃちぼうぎゃく》の王を除かなければならぬと決意した。メロスには政治がわからぬ。メロスは、村の牧人である。笛を吹き、羊と遊んで暮らして来た。けれども邪悪に対しては、人一倍に敏感であった。きょう未明メロスは村を出発し、野を越え山越え、十里はなれた此のシラクスの市にやって来た。

【解説】

物語冒頭の一節です。一般的な書き方にならえば、出来事が時系列に沿って説明されるはずです。最初に前提や背景の説明があり、続いて事件が起こるという流れです。しかし、ここではまずメロスの気持ちが「激怒」という強い言葉で表されています。そして、その後に、メロス自身についての説明、家族構成などについての説明が入ります。

順番から言えば、後から出てくるはずの「激怒した」部分を、あえて冒頭に持ってきた…つまり倒置の手法を用いているのはなぜかということに注目して考えましょう。

こういった手法により、まず読者をひきつける効果があると考えられます。読者は「なぜ、そんなに怒っているんだろう」という疑問を持ち、次を読みたいという気持ちになります。作者である太宰は、時系列を壊すことで一気に物語に引き込む効果を狙っていた、と考えるといいでしょう。

歩いているうちにメロスは、まちの様子を怪しく思った。ひっそりしている。（中略）しばらく歩いて老爺《ろうや》に逢い、こんどはもっと、語勢を強くして質問した。老爺は答えなかった。メロスは両手で老爺のからだをゆすぶって質問を重ねた。老爺は、あたりをはばかる低声で、わずか答えた。

【解説】

２年前に来たときはにぎやかだったまちが静かであることに気づいたメロスは、出会った若者に問いただすのですが、答えようとしません。そしてこの老爺に再び尋ねるシーンです。よく考えてみると、初めて出会った人の体を揺さぶってまで答えさせようという行為は、かなり乱暴な振る舞いです。メロスの強引さ、身勝手さ、すぐに熱くなる性格がよく表れているところです。物語の中のこと、フィクションの世界ですから、こういった行為を不自然に感じることなく読み進めてしまいがちですね。しかし、もし現実世界で突然暴力をふるってまで答えさせようとする人がいたら、周囲の誰もが奇異の目で見るでしょう。物語の中の出来事も自分の価値観に引き寄せて読むと、メロスの人物としての特徴がよく見えてきます。


「……きょうは、六人殺されました。」

聞いて、メロスは激怒した。「呆《あき》れた王だ。生かして置けぬ。」

メロスは単純な男であった。買い物を、背負ったままで、のそのそ王城にはいって行った。

【解説】

この部分を読んで、初めて冒頭で激怒していた理由が理解できます。おじいさんを揺さぶってまで、王の乱行を聞き出し、一気に頭に血が上ってしまう…。加えて、何の準備もせずにそのまま王城へ入っていくところなど、メロスの単純な性格がよく表れています。


たちまち彼は、巡邏《じゅんら》の警吏に捕縛《ほばく》された。調べられて、メロスの懐中からは短剣が出て来たので、騒ぎが大きくなってしまった。


【解説】

ここで注目するのは、傍線部です。なぜメロスは短剣を持っていたのでしょう。突然、王の暗殺を思いついたメロスは、そのまま城へ向かっていますから、メロスはもともと短剣を持っていたということです。

では、なぜ短剣を持っていたのかというと、それは彼が「牧人」だからです。牧人にとって短剣は仕事をする上での必需品です。たとえば、牧場のつるを切ったり、草を刈ったりという毎日の仕事で使う道具です。現代の私たちで言えば、携帯電話のような感覚で短剣を常に持ち歩いていると考えていただければわかりやすいでしょうか。

この傍線部分を正しく理解することにより、彼が計画的な暗殺を企てたのではないことがわかります。

「たくさんの人を殺したのか。」
「はい、はじめは王様の妹婿《いもうとむこ》さまを。それから、御自身のお世嗣を。それから、妹さまの御子さまを。それから、皇后さまを。それから、賢臣のアキレス様を。」

「疑うのが、正当の心構えなのだと、わしに教えてくれたのはおまえたちだ。人の心は、あてにならない。人間は、もともと私慾《しよく》のかたまりさ。信じては、ならぬ。」

暴君は落着いて呟き、ほっと溜息《ためいき》をついた。「わしだって、平和を望んでいるのだが。」

【解説】

暴君ディオニスという人は、もともとこのような非道な人間だったかということを考えてみましょう。まず、老爺の言葉から、どのような順番で処刑していったかが明らかになります。妹婿、自分の子ども、妹、妹の子ども、皇后、そして重臣アキレス。つまり、自分の座する王権に近い順に殺していますね。ここから、王が何を心配して人々を処刑し続けているかが見えてきます。

そして、傍線部分の王の発言に注目しましょう。この一言で、彼がもともとは暴君ではなかったことが垣間見えます。何らかのきっかけで、親族に王権を狙われていると感じてしまった王。やがて裕福な人たちに対してまでお金で人心を買って王権を狙おうとしているのではないか、という疑いの念を持つようにまでなっていったのでしょう。王は自分が暗殺されるのではないか、という疑念から暴君に変化してしまった、そういう背景がここから読み取れます。
王は平和を望んでいると言っています。メロスはすかさず反発しますが、読者にはぜひ王の心情も感じてほしいところです。

「私は約束を守ります。私を三日間だけ許して下さい。妹が、私の帰りを待っているのだ。そんなに私を信じられないならば、よろしい、この市にセリヌンティウスという石工がいます。私の無二の友人だ。あれを、人質としてここに置いて行こう。私が逃げてしまって、三日目の日暮まで、ここに帰って来なかったら、あの友人を絞め殺して下さい。たのむ、そうして下さい。」

【解説】
メロスが人質として親友を差し出す、物語の中でも印象的なシーンです。いわゆる文豪の名作とあっては、このような大胆な展開に対しても、読み手はあまり疑問を感じずにスルーしがちです。しかし、現実的に考えればありえない状況ですね。あなた自身に置き換えてみてください。このような危機の状況にあって、親友を人質に突き出すことができますか？　とうてい考えられないことですね。

しかもメロスは会う前に、本人の承諾もなく親友を人質に差し出しています。メロスの身勝手さがいよいよ際立ちます。

親子でメロスについて語り合うチャンスがあったとしたら、ぜひ「もし、自分がセリヌンティウスだったらどう感じるだろう」「そもそもメロスの態度ってどうなの？　おかしいと思うんだけど」といった具合に、疑問を投げかけてみてください。私も、授業では生徒たちに問うていることです。するとたいてい生徒たちは、「ああ、そういうことを感じてもいいんだ」とほっとした表情を見せ、「メロスありえない〜」という声があちこちから発せられます。

読書は自分の世界と本の世界が融合するところにこそ面白みがあるのです。ところがその作品が名作であるということ、さらには学校の授業で取り上げられている教材となると、自分の日常感覚とは切り離したところで表面的な読み方をしてしまいがちです。どんな状況であっても、読みながら自分の考えを挟み込んでいくという経験が、「批判的に読む」

目線を育てていくのです。あえて自分の生活レベルに引き寄せ、自由に感じながら読んでほしいと思います。

竹馬の友、セリヌンティウスは、深夜、王城に召された。暴君ディオニスの面前で、佳き友と佳き友は、二年ぶりで相逢うた。メロスは、友に一切の事情を語った。セリヌンティウスは無言で首肯《うなず》き、メロスをひしと抱きしめた。

【解説】

メロスがセリヌンティウスと再会し、すべてを了解してもらうシーンです。セリヌンティウスは何も言わず、メロスの願いを受け入れました。この描写から彼の純粋な人柄が感じられます。また、友のためなら命をかけてもいいと考えられるような二人の関係から、彼らのこれまでの友情、どのような付き合いだったかということまでが想像できるでしょう。

しかし同時に、読み手としては様々な疑問を感じる部分でもあります。セリヌンティウスは、メロスが帰ってこない場合は自分の命がないということを本当に受け入れているのでしょうか。また、必ず戻ってくると心から信じているのでしょうか。ここも理解しづらいところです。なぜこのような大変な役目を引き受けてしまったのでしょう?

判断の難しいところですが、物語の最後のところではセリヌンティウスもメロスを疑ったと告白しています。そんなところから考えると、人質になることを引き受けた当初は、とにかく親友の願いをかなえてあげたかったというシンプルな思いがあったという結論が妥当だといえるでしょう。

メロスは、すぐに出発した。初夏、満天の星である。

【解説】

短いフレーズですが、単なる風景描写ではないことを、しっかり読み取ってほしいですね。初夏、満天の星とは何を表していると思いますか？　私は授業で生徒たちに、ここは「約束を守って自分はちゃんと帰ってくるぞ、という一点の曇りもない決意の表れ」だよと話しています。

この部分については他にも解釈があるかもしれません。たとえば「星はいつも自分を見ている。星に嘘はつけないぞ」という表現ではないか、という見方をする人もいるでしょう。ここが読解の難しさであり面白さです。試験では答えがいくつも出てきそうな設問はあえて避けますが、いろいろな解釈があっていいと思います。

私は、この部分は友人同士が互いを許し合い、一点の迷いもなくメロスが飛び出していくシーンということで、まったく曇っていない満天の星空とメロスの心情が共鳴し合っている、という解釈が妥当と考えます。あるいは、星がメロスを応援しているとか、協力しているようなイメージもあるかもしれません。しかし、やはり一気に流れていくメロスの行動を考えると、満天の星という情景は、すっきりと割り切れたメロスの気持ちをよく表しているといえるでしょう。

「おまえの兄は、たぶん偉い男なのだから、おまえもその誇りを持っていろ。」
花嫁は、夢見心地で首肯いた。メロスはそれから花婿の肩をたたいて、
「仕度の無いのはお互いさまさ。私の家にも、宝といっては、妹と羊だけだ。他には、何も無い。全部あげよう。もう一つ、メロスの弟になったことを誇ってくれ。」

【解説】

妹の婚礼で、メロスが花嫁と花婿に声をかける場面です。この言葉からメロスは命を奪われる覚悟をしていることがわかります。この遺言的要素がここに入っていることを、しっかり確認してください。

このような意味深な言葉には、私たちも暮らしの中で出会うことがあるかもしれません。人は、何かことを起こすときにそれなりのサインを表す言動が見られるものです。すべては語られなくても、その言葉の奥行きが感じられるような人でありたいものです。メロスは、二人に対して今は気づいてくれなくてもいいので、とにかく最後に伝えたいことをここで語りたかったのです。

メロスは、悠々と身支度をはじめた。雨も、いくぶん小降りになっている様子である。身支度は出来た。さて、メロスは、ぶるんと両腕を大きく振って、雨中、矢の如く走り出た。

【解説】

ここでポイントとなるのは、結婚式の宴の間ずっと、雨がひどく降り続いていたということです。その雨はこれからのメロスの運命を暗示しているような、不吉なものを感じさせます。しかしそんな中で雨中走り出るメロスの姿から、「シラクスへ戻るぞ」という彼の強い決意が伝わってきます。情景の描写から、メロスの心情をくみ取ってほしい部分です。

身体疲労すれば、精神も共にやられる。もう、どうでもいいという、勇者に不似合いな不貞腐《ふてくさ》れた根性が、心の隅に巣喰《すく》った。（中略）正義だの、信実だの、愛だの、考えてみればくだらない。人を殺して自分が生きる。それが人間世界の定法ではなかったか。ああ、何もかも、ばかばかしい。私は、醜い裏切り者だ。どうとも、勝手にするがよい。やんぬる哉。

【解説】

シラクスに戻ろうとするメロスの前で川が氾濫し、さらに山賊に襲われます。疲れ果てたメロスの心の動きは、作品の中では長々と彼の独白としてつづられています。シラーの詩には、この独白はありません。疲れたものの、すぐにわき出る清水を飲んで気力を取り戻し、また走り出すのです。

「走れメロス」は王の改心と友情をテーマにした物語というのが一般的な見方ですが、原作にないメロスの心情をつづっているところから、太宰が本当に言いたかったのはこの独白部分、メロスの心の迷いを描きたかったのではないかという解釈もできるのではないでしょうか。

肉体の疲労恢復と共に、わずかながら希望が生まれた。義務遂行の希望である。わが身を殺して、名誉を守る希望である。斜陽は赤い光を、樹々の葉に投じ、葉も枝も燃えるばかりに輝いている。

【解説】

疲れ切り、投げやりな気持ちになっていたメロスでしたが、近くにわき出す泉の水を口にすることで、立ち上がる気力を取り戻しました。この部分は、メロスの気持ちが変化する、読解する上ではとても大切なところです。そしてその後に続く風景描写にも注目しましょう。ここも単なる風景描写ではありません。たとえば「赤い光を（中略）燃えるばかりに輝いている」という部分は、メロスの希望の象徴としても描かれているのです。

一般的に見ても、物語の中で登場人物の気持ちが切り替わったところには、風景描写が出てくることがよくあります。風景と心情の絡まり合いというものに気づけるかどうかがポイントです。
このような手法は、マンガだとより明確です。風景描写を差し込むことで、状況の変化がわかりやすくなるからです。たとえば、子どもたちに人気のアニメ「名探偵コナン」をご覧になったことはあるでしょうか。このアニメではよくあるパターンとして、夜稲妻が光って雨が降り出してきて、そこで事件が起こったりします。ああ、何か起こるぞという不吉なものを感じさせる手法です。文章だとちょっとわかりづらいかもしれませんが、読み解くコツとして覚えておくといいでしょう。

「やめて下さい。走るのは、やめて下さい。いまはご自分のお命が大事です。あの方は、あなたを信じて居りました。刑場に引き出されても、平気でいました。王様が、さんざんあの方をからかっても、メロスは来ます、とだけ答え、強い信念を持ちつづけている様子でございました。」

【解説】

王城へと走り続けるメロスに、セリヌンティウスの弟子であるフィロストラトスが、やはり走りながら声をかけてくる場面です。フィロストラトスはもう間に合わないから、走るのをやめてくださいと語りかけるのです。彼の言葉はメロスの決意を揺るがすことはありませんでしたが、読者にとっては、どこか悪魔のささやきのようにも思えるせりふです。何しろ、メロスの気持ちを引き裂くようなことばかり言うのですから。

また、この状況を映像としてイメージしてみると、滑稽ささえ感じられます。実はメロスはこの時点で服などどこかへ行ってしまったのか、ほとんど裸の状態で一心に駆けています。それを必死で追いかけながら、つまり並走しながらの会話です。現実にこのようなことがあったら、かなり面白いと思うのですが。ちなみに、原作のシラーの詩では、フィロストラトスはメロスの使用人という設定になっています。

「それだから、走るのだ。信じられているから走るのだ。間に合う、間に合わぬは問題でないのだ。人の命も問題でないのだ。私は、なんだか、もっと恐ろしく大きいものの為に走っているのだ。ついて来い！　フィロストラトス。」

【解説】

先に引用したフィロストラトスの言葉に、メロスが答えている部分です。ここでは、ぜひメロスが何のために走っているのかを再確認してください。

この部分の少し後には「ただ、わけのわからぬ大きな力にひきずられて走った。」とあります。ということは、この段階になると、メロスの意志で走っているのではない、ということです。メロス自身が、何か大きな力に引っ張られるように連れて行かれる感じです。私の授業では、必ず生徒たちに「何がメロスを走らせているのか」「メロスと『力』はどのような関係なのか」ということを問いかけています。中学生ぐらいで考えるのは大変なのですが、ぜひ向き合ってほしいテーマです。

関係を整理してみましょう。

もともとは、メロスとセリヌンティウスとの友情や、王との約束、それを守る自分の誠実さといったものが、彼を走らせている原動力でした。

しかし、ここへきてその関係は逆転しているのです。図に表すとこのような変化です。

後半になると、メロスは友情、誠実、正義の中にいて、それらを証明するために概念と一体化し、その一部であるから走っている、という状況になってきます。だから命なんかどうでもいいし、約束もどうでもよくなってしまっているのです。

もともと心の中にあった問題が走り続けるうちに実体化し、いつしかメロスはその一使徒となって走っている…そういう状況なのです。

それがよくわかるのは、フィロストラトスとの会話のすぐ後の記述に「ただ、わけのわからぬ大きな力にひきずられて走った」とある部分です。この「ひきずられる」という表現から、主格が入れ替わり、メロスが自分の意志で走っ

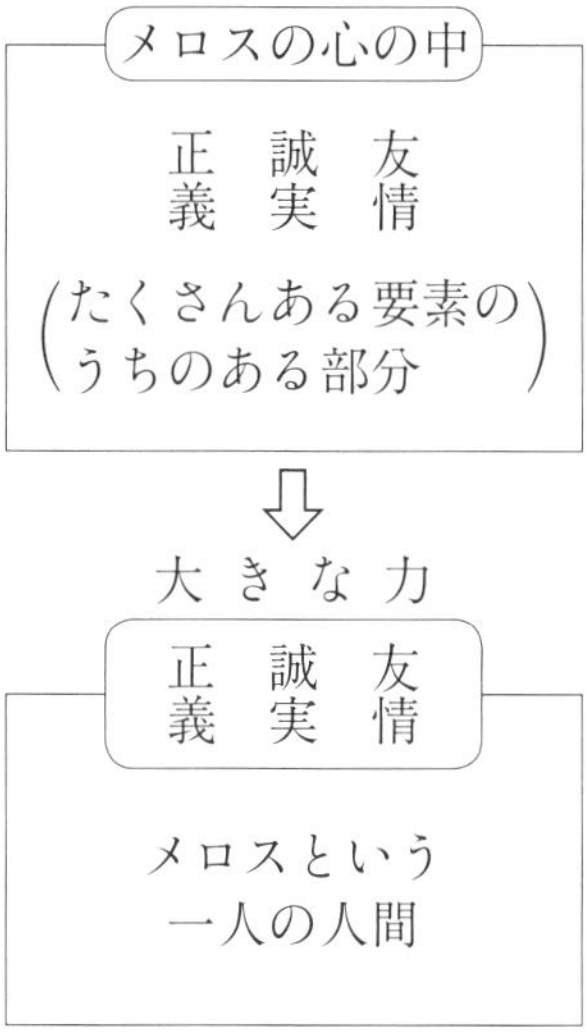

ているのではなく、何か大きな力によって走らされていることが読み取れます。

「待て。その人を殺してはならぬ。メロスが帰って来た。約束のとおり、いま、帰ってきた。」と大声で刑場の群衆にむかって叫んだつもりであったが、喉《のど》がつぶれて嗄《しやが》れた声が幽《かす》かに出たばかり、群衆は、ひとりとして彼の到着に気がつかない。

【解説】

ここは、メロスが困難を乗り越えて帰還した、いわば感動的な場面です。しかし私の授業でこの部分にさしかかると、くすくすという笑い声が聞こえてくることが多いのです。以前は生徒たちが笑うことに違和感があって、正直、あまりいい気分ではありませんでした。しかし最近になって、このときのメロスの滑稽な様子を想像すれば、つい笑ってしまうのは当然だと思うようになりました。

ここには引用していませんが、メロスはすでに「ほとんど裸」で走っています。ほぼ裸で町を走り抜けている。そしてヨレヨレになって刑場に到着するのです。そしてこの後メロスは磔《はりつけ》の柱に吊り上げられていくセリヌンティウスの両足にかじりつきます。その状況は切迫しているとはいえどこかコミカルです。

そしてこの後二人は互いに相手を疑ったことを告白します。相手を疑ったことを謝り、殴ってくれと懇願するのです。そしてその後二人は抱き合っておいおい泣くのです。このシーンも、よく考えれば面白いですね。本人たちは気持ちが高揚し切っています。しかし周囲で見守る人たちは、唖然として気持ちとしては少し引いてしまっているかもしれません。この温度差も想像するとまたおかしみを誘います。

このように、感動的なシーンを笑ってしまうのは不謹慎なことでしょうか。私はそうは思いません。もちろん、ここで感動する子はいるでしょう。ただ、一方でちょっとおかしいな、笑っちゃうなと感じる子もいていいのです。授業の中では、メロスとセリヌンティウスの二人が同時に「ありがとう友よ」と言うところになると、必ずと言っていいほど一部の生徒たちがクスっと笑います。彼らは物語に感動していないわけではありませんが、その状況を現実に置き換えて滑稽さ、気恥ずかしさも感じるのです。実際、このシチュエーションで殴り合うところまでは理解できても、その後二人で抱き合っておいおい泣くという光景は、「そこまで書くか！」と突っ込みたくなるのも理解できます。考えて見れば、ここで笑えるということはそれだけ物語に入り込んで読むことができている証拠とも受け取れます。客観的に物語の大きな構造を読み取ることができている、つまり批評的な読み方ができていると考えていいのです。

暴君ディオニスは、群衆の背後から二人の様をまじまじと見つめていたが、やがて静かに二人に近づき、顔をあからめて、こう言った。

【解説】

王が顔を赤らめたのはなぜでしょう。人が顔を赤らめるときの感情にもいろいろありますが、ここは「感動したから」「興奮したから」顔を赤らめたのではない、ということを確認しておきましょう。王は恥ずかしかったから顔を赤らめているのです。もちろん、王も二人の友情に感動していることは間違いありませんが、それ以上に自分のこれまでの行いを恥じている。そこを正しく読み取ってほしいものです。

「メロス、君は、まっぱだかじゃないか。早くそのマントを着るがいい。この可愛い娘さんは、メロスの裸体を、皆に見られるのが、たまらなく口惜しいのだ。」
勇者は、ひどく赤面した。

【解説】
物語の締めくくりの部分です。それまでの緊迫した状況から一転、メロス自身が普通の男に戻る瞬間を見事に描いています。少女を意識して赤面するメロスの様子から、はっと我に返っている様子が伝わってきますね。読み手としては「いつから裸だったんだろう」「フィロストラトスはせめてパンツだけでも履かせてあげればいいのに」「この少女とこの先どうなったのかな」など、楽しい想像がふくらみます。このように読解の教材であっても、どこか楽しむことができる気持ちの余裕が欲しいものです。

さて、最後にもう一点、物語の肝となる部分を解説します。

「王の心変わり」と「メロスの心変わり」についてです。

この物語の中で暴君ディオニスは、以前はひどい王ではなかったことがうかがえます。ところがあるときから、まわりの人間を疑うようになる「心変わり」をし、ひどい王へと変貌していきます。この心変わりの瞬間と近いものが、実はメロスの心情描写の中にも読み取れます。どこだと思いますか？

それはメロスが走ることに疲弊し切って挫折しそうになるところだと、私は考えています。精根尽きはてかけたメロスは、次のような独白をします。

「私は王の卑劣を憎んだ。けれども、今になってみると、私は王の言うままになっている。私は、おくれていくだろう。王は、ひとり合点して私を笑い、そうして事も無く私を放免《ほうめん》するだろう。そうなったら、私は、死ぬよりつらい」

この時点ではまだ自分を信じて待つ友を思い、約束を果たせないかもしれないという悔しさ、無念さを感じています。ところが徐々にメロスの気持ちは変わっていくのです。

「セリヌンティウスよ、私も死ぬぞ。君と一緒に死なせてくれ。君だけは私を信じてくれるにちがい無い。いや、それも私の、ひとりよがりか？」

と、メロスはついに親友のことも疑ってしまいました。「ひとりよがりか」とつぶやいた瞬間のメロスの気持ちは王の気持ちと同じです。正義の味方と悪の権化とは紙一重であるということが、この瞬間に表れているのです。立場は違っても状況は同じです。正義感がいきなり裏返ることもあるのです。私は授業で『走れメロス』を取り上げるときは、いつも「人間は自分が強いと思っているところも、実はそれが弱さの表れだということもあるかもしれないね」と伝えるようにしています。読解するときには、このように自分の経験や生活に重ね合わせていくことも大切です。

メロスの一人語りではありますが、それまでせめぎ合っていた気持ちが「ひとりよがり」という言葉をきっかけに大きくネガティブな方向へ切り替わるところは、物語を読む上で大切な部分です。

『走れメロス』の読解体験はいかがでしたか？　お子さんたちは日々、国語の時間にこのような読解の授業を受けています。わが子が今どんなことをしているか、という理解につながれば幸いです。また、お子さんとの会話の糸口になればなおいいですね。

『走れメロス』は、太宰治が最も安定していた時期に書かれた作品と言われています。それだけに文章の勢いもあるのでしょう。太宰の人気は衰えることなく、生誕百年を迎えてからもなお読み継がれています。ぜひ、これを機会にあらためてご一読いただきたいと思います。

第5章

国語嫌いを克服しよう
必ず力がつくサブノートの作り方

「話す」「聞く」力と「読む」「書く」力は別のもの

国語が得意な子と苦手な子では、どこが違うのでしょう。言葉が達者で話がうまい、頭の回転も速く、まさに「打てば響く」ような子は、言語能力が高いので国語が得意なのではないかと思いますよね。ところが意外にもそういうタイプの子は、読解問題を苦手と感じる傾向があります。本にじっくり向き合うなど落ち着いて何かをするよりは、友だちとの関係の中で過ごす時間が好きなのです。そういうやりとりの中でこそ、生き生きと振舞うことができる喜びを感じているのでしょう。何かを問いかければすぐに答えられる反射神経は優れているのですが、実は必ずしも語彙が豊富というわけではありません。

私は多くの生徒たちを見てきましたが、口語的な能力が高い子でありながら、本もじっくり読めるという子はごく少数という印象です。またどのような子であれ、中学生になると友人との時間を好むようになりますから、いっそう文章に向き合う時間は少なくなります。意識的に本を読む時間を確保し、読書経験を積み重ねていきたいものです。それができないと、どうしても国語が苦手な子になってしまいます。「話す」「聞く」力は基本的に反射神経的な能力ですが、「読む」「書く」力は思考することが求められる能力。パッと反応することはできなくても、自分の心をぐぐらすことで、様々なことがらをじっくり咀《そ》嚼《しゃく》し考える力です。「話す」「聞く」と「読む」「書く」は、同じ言語能力ではありますが、質が異なるということをご理解いただきたいと思います。

口語的能力の優れた子が読解を苦手とする理由

じっくりと本を読む経験は子どもの読解力を育てます。これは本書で繰り返しお話ししてきました。ではなぜ、本を読むと読解力が深まるのでしょう。

読解でよく出てくる設問には、「登場人物がどのように感じているか」について考えるものがあります。文章にじっくり向き合える子であれば、その登場人物が経験している状況を、心の中で自分の経験としてシミュレーションした上で、感じたことを答えるでしょう。しかし口語的な力ばかりが長けている子は、「とにかく先生が求めている答えを探して言わなくちゃ」ということばかりに気持ちが向いてしまい、自分のそれまでの経験や考えをさっさと切り離して、答えばかりを探すことになるわけです。しかしこのような考え方をしていては、答えはいつまでも見つかりません。

もう少し具体的に説明しましょう。たとえば文章の中で登場人物が「もう、僕は帰ったほうがいいな」と言うところがあるとします。設問で「そのとき『僕』はどんな気持ちだったでしょう」と問いかけられたときに、物語の中の状況を自分の生活と切り離して考えてしまう子は、「僕」が悲しかったのか、寂しかったのか、怒っているのかという感情を読み取るのに迷いが生じます。物語に入っていけず、登場人物の言葉から想像力を働かせることができないのです。結局その答えを教えられても、自分としては腑に落ちないまま、つまり理解できないままというわけです。

読書経験が豊かな子の場合はどうでしょう。たとえばSFやファンタジーなどにありがちな、かなりとっぴな設定の物語であっても、日頃の読書経験によって本の世界とその子の世界とはどこかで地続きになっています。だから、読解問題でどのような問いかけがあっても、文章の中にある状況を自分の世界に照らして考えることができ、結果として比較的容易に答えにたどり着くことができるのです。

わが子のタイプを見極めて適切なアドバイスを

教育の現場においては、言葉が達者な子と、じっくり文章と向き合うのが好きな子という二つのタイプの子どもたちに対して、それぞれ適切な配慮が求められます。言葉が達者な子は授業中でも反応がありますから、教師もそれなりに対応しやすいものです。たいていは問いかけると、すぐに思いついた答えを言ってくるでしょう。そのような「すぐに発言するタイプの子」には「とにかく全部読んでから、本当にその答えでいいのか確認した上で話してください」とか、「答えをノートに書いてみてから発言しようね」など、一度立ち止まって考えるようなアドバイスが必要です。

一方じっくり考え込むタイプの子はどうでしょう。発言が少ないと教師は「この子はあまり理解していないのでは」と誤解してしまいがちです。

しかし、中には発言したいけれど「本当にそれでいいかな」と自問自答しているうちに、授業が進んでしまった、という子もいるのです。しっかり考える力があるのに、うまく考えをまとめられず終わってしまうので、これまた読解を苦手にしてしまうというわけです。

そのような子たちには、自分の考えを整理する

ために、「ものごとを単純化して考える方法」を教えてあげるのが有効です。たとえば、主人公の折々の感情を、とにかく喜怒哀楽の4つに分類してしまうなど、問題を単純化すると、全体が理解しやすくなり、答えも見つけやすくなります。

そもそも日頃あまり話さない子は、発言するだけでも大きなプレッシャーを感じるものです。思春期のころは、とくに友だちにどう見られるかは最大の関心事ですから、わかっていても、あえて答えない子もいるでしょう。思春期とはそういう時期なのです。いずれにしても、教師は子どもの本質を見抜き、適切な対応をすることが求められます。

ここでは教師の対応についてご紹介しましたが、これはご家庭でもきっと参考になるはずです。もしお子さんが読解問題につまずいているようなときは、まずはわが子が口語的能力が長けているのか、あまり話さないけれど内面ではあれこれ考えているのか、いずれのタイプかを見極めて下さい。前者でしたら言いたいこと、書きたいことの整理や序列化、後者でしたら単純化、概念化など、それぞれに合ったアドバイスをしてあげるといいでしょう。

語彙力と読解力を同時に高める　必ずやる気が出るサブノート

本を読む理由は本来「面白いから」だと思います。この面白さ、楽しさを感じるためには語句の意味を理解する必要があります。中高生の国語の勉強では、まず語彙力の大切さを感じさせるのがポイントです。

教材となる文章を読んでいくと、必ず意味のわからない語句が出てきます。それを一つずつ辞書で調べて意味を把握しながら読み進めることで、内容に対する理解が深まり、学ぶ面白さをも感じることができます。勉強は面白くなければ続きません。無理なく勉強するための工夫はないか。そう考え試行錯誤の中から生まれたのが「サブノート学習法」です。

国語を好きになる最大のきっかけは、やはり語彙力と読解力です。国語ができない子はこの二つが欠けている場合がほとんどです。できない子に、読解力をつける演習ばかりやらせても言葉を正確に理解していないのですから、読解力が上がるはずもありません。それならばまずは語彙力から始めようと、ひたすら語句の読みや意味を調べる学習ばかりしていても、面白みがありませんから続かないでしょう。

そんな問題を解決するのがサブノート。文章を読む面白さを感じながら語彙を増やしていくことができる学習法です。文章への理解が深まれば自ずと勉強も楽しくなります。まさに勉強と面白さがセットになった、効果的な方法なのです。

驚くべきサブノートの効果とは

まずはあらためてお子さんのノートを見てください。おそらく板書がそのまま書き写されただけのノートがほとんどでしょう。最近の子たちを見ていると、学校で学んだことを自宅でノートにまとめ直すようなことは、まずしていません（私が学生だったころは自分なりにまとめて、試験前にはそのノートを見て勉強に励んだものでしたが）。授業で学んだことを、確実に身につけるためには、この程度の学習では十分とはいえません。そんな学習の不足を補うのがサブノートです。

私が提案するサブノートとは、学校の授業で学んだことに、自分で調べたり感じたりしたことを付け加え、自主学習としてまとめたノートのこと。詳しい書き方については次項でじっくりとご紹介しますが、まずはここで実際にサブノート学習を指導して効果をあげた実例を紹介しましょう。

あるとき、高校の生徒が私のところに相談にやってきました。国語の成績が伸びず、悩んでいるというのです。そこで私はサブノート学習を徹底的にやらせることにしました。するど、ほんの1ヶ月ほどサブノート式学習を続けただけで、成績が急激に上がったのです。これは私自身も「サブノート式の学習は、確実に効果が上がる」と確信した経験でもありました。

後日、件《くだん》の彼にサブノートの感想を聞いてみたところ、こんな答えが返ってきました。「難しい文章で、初めは雲をつかむような感覚で読んでいましたが、徹底的に語句を調べ、サブノート式で勉強していく中で、自分なりに理解できるようになりました」と嬉しそうに語ってくれました。語句調べと読解を同時に進めていけるから、興味を持ち続けることができたのだと思います。以来、国語の成績が伸びない、国語が苦手だと訴えてくる生徒たちには、サブノートを作ることを強くすすめるようになりました。

サブノートを書いてみよう

サブノート学習は自主学習です。学校では授業をしっかり聞いて、板書もしっかりノートに書いておきましょう。

まず、ノートを用意します。見開きを一つの単位として使います。右ページを上下2段に分けます。上段と下段の割合は基本的に2対1ぐらいの割合で。左ページも上下2段に分けますが、こちらも上段を大きめに、下段を小さめに設定します。使いながらページ割りのバランスは自分流に変えても構いません。右ページ上段を①、下段を②、左ページ上段を③、下段を④とします。

① 教科書のコピーを貼る

その日教科書で取り上げた単元のページをコピーして貼り付けます。ノート1ページに対して教科書1ページが目安です。

② 語句や漢字を書き出す

貼り付けた文章の中から、意味がわからない語句、新しい漢字や熟語、その他気になる語句を書き出しましょう。意味がわからないものは辞書で調べます。漢字の正しい読みも記しておきましょう。

サブノートの見本

このサブノートは、他の教科にも応用できます。

英語や数学は横書きになりますが、教科書のコピーを左上に貼り、
その下に言葉の意味や解法のヒントなどを記します。
右上には、英語なら和訳や文法のポイント、数学なら解法と正解など、
授業の板書を清書したり、まとめたりするのに使いましょう。
右下は気づいたことをメモするなど自由に使いましょう。

③　先生の板書を書く

授業の板書をここにまとめます。先生の説明をそのまま書いておけばいいでしょう。ただ、先生の説明は①の部分と厳密に対応していなかったり、数ページにまたがる文章に対するものであることもありますから、本文と突き合わせて調整しましょう。このやり方では、③にはせいぜい一つか二つの項目を書くだけで終わってしまうかもしれません。ノートの空白が気になることもあるでしょうが、そこは試験勉強のときなどに、後から書き込むスペースとしても活用できます。ぎっちり書き込む必要はありません。

④　自分の印象や感想を記す

貼り付けた教科書の文章に対して、自分が感じたことを書きましょう。感想だけでなく疑問に感じたことなど何でもいいのです。「ここは納得いかないな」といった、文章に対して自然とわき上がってきた思いなどをメモしておいてもいいでしょう。自分の感じたままを自由に書くことができる、「お楽しみスペース」といったところです。

印象を書き記しておくことで、内容が深く記憶に残ります。自分と作品を切り離さず、一体化するような経験を積み重ねる学習が、国語を好きにしてくれるもの。ぜひここは楽しみながら書いてください。

ここまで読んで「あれ、このサブノートって文字がスカスカになっちゃうんじゃないの？」と思ったのではありませんか。その通りです。サブノート学習法はこれまでにないほど、ノートを大胆にどんどん使っていきます。もったいないと思うかもしれませんが、定期テストのための復習勉強のときなど、後から気づいたことを書き込んだりするときに、このスペースがとても役に立つのです。

また、その単元が一通り終わったところで、「実は冒頭の一文が大きな意味を持っていた」などと、全体を読み込んで最後にわかることがらもあるものです。それも空きスペースに書き込めるのもサブノートならではです。

教科書をコピーして貼るのは、大変かもしれません。しかし後は学校でやったことを「自分なりに確認」するだけです。授業では先生のプリントが教材であったり、ワークシートが配られたりすることもありますが、その場合も同様にノートを作ればいいだけです。毎日の学校での学習を板書中心に軽くまとめるだけの復習にすぎませんが、辞書を引く習慣も自然と身につきます。授業をまとめたノートですから定期テスト対策にはもちろん非常に有効です。

⑤　授業を総括するページも作ってみよう

日々の復習ノートでもあるサブノートですが、単元が終わったところでまとめのページを作ると、なお効果的な学習が期待できます。少し難しいし手間もかかるので余裕が出てきたら少しずつ取り組んでいただければ結構です。サブノートは1ページごとに対応したノートですから、全体を見渡しにくかったりします。そこで単元の最後に授業のまとめを書いておくことをおすすめします。

《最終ページ》

見開き2ページ分を使います。右ページは分割しません。左ページは全体の3分の2ほどのところで、縦に線を引いて二つのスペースに分割します。右ページと左ページ右側は以下の項目がゆるやかに入ります。（それぞれの文章量に応じて、書く場所はフレキシブルに変化させます）

・段落がどこで分けられるか記録する

・要約文を書く400字(800字)

・主題をまとめる　100字以内

・感想や疑問を書く

サブノートの最終ページ
授業のまとめの見本

〈右ページ〉　段落がどこで分けられていたかを記録する

たとえば第1段落が何ページ目の何行目から何ページ目の何行目までだったかを記録します。これで全体がいくつの段落で構成されているかが一目でわかります。もしできれば段落ごとに小見出しをつけてください。各段落に対する理解がより深まり、学習効果が高まります。

〈右ページ〉　要約文を書く

全文の要約を400字から800字以内で書く。

〈左ページ右側〉　主題を書く

その単元で扱った文章の主題を、50字から100字でまとめる。たとえば『走れメロス』であれば、キーワードとして「友情」や「誠実」といった言葉が思い浮かびます。それらを文にしてまとめましょう。

〈左ページ左側〉　感想や疑問を書く

ページごとでも書いていますが、あらためて全体を読み終わったところでの感想や疑問をここに記録しましょう。授業に対する感想や疑問でもＯＫ。

このまとめのページは、とくに要約や主題の部分では頭脳を駆使しなければ書けないと思います。国語がかなり苦手というのであれば、慣れてきてからこの総括ページにチャレンジしてもいいでしょう。国語が得意な子であれば、このまとめのページだけ取り組んでもいいと思います。

難しい文章にチャレンジする心を育てよう

私が日頃接している麻布の生徒たちについて言えば、国語が好きな子たちは、多少難しい文章でも「楽しんで」読んでいます。中学1年生には少し難しい複雑な文章でも「何とか理解したい」「絶対に読み切ってやる」という気合が感じられます。難しい文章ほど燃えるのでしょう。新しい単元に入るときは、「この難しそうな文章によって、どんなふうに自分の好奇心が満たされていくんだろう」という期待感があふれています。どんな教材が来ても、前向きにとらえようとするのです。

とはいえ、成長して中学3年生から高校1年生ころになるとその情熱も少しずつ薄れてくる子が増えます。「わからねえな」と初めから投げ出してしまう空気が濃厚になってくるのです。しかしそれで読まなくなってしまうと、国語の力は確実に落ちていきますから、注意が必要です。

国語の力をつけたいのであれば、やはり文章を読むことが基本。逆に言えば、取りあえず読めていれば何とかなるということです。どんな文章でも、まずは一読する習慣をつけましょう。一度読んだら、たとえ偏った読み方をしていたとしても、全文に目を通しているのですから、やるべき学習の5～6割は、ここですでに達成したことになります。

短い文章から入るのもポイントです。私は教科書の編集に関わっていますが、教科書には誰でも読める文章を厳選して載せています。短い文章を読むならまず教科書から始めるのが無難です。比較的短い文章ばかりですから、本を1冊読むよりは簡単に読めるでしょう。学校の授業でも読みますが、別に時間を取ってください。そして読み飛ばすことなく、しっかりと一読しましょう。このような経験の積み重ねこそが、国語の苦手意識が克服されていく一助となるのですから。

読書が「思春期の不器用な生き方」を支える

思春期の子どもたちは、往々にして実に「不器用」です。何事も簡単にはいかず、失敗と遠回りの連続です。親としては歯がゆいばかりですが、これは試練と思って耐えるしかありません。わが子を認め、励まし、根気よく導いてほしいと思います。失敗を含めた遠回りこそ成長に欠かせないプロセスなのですから。

子どもたちは何ごとも「自分で」やりたがります。そのチャレンジ精神は見上げたものです。彼らが欲しているのは何より手応えです。ものごとのプロセスに自分が確かに関わっているという実感が必要なのです。この実感をひとたび得られれば、失敗もかけがえのない道程となります。

現代社会はとかく効率のよさを重視し、世間では小手先のサービスが氾濫しています。しかし子どもの心の成長まで効率よくというわけにはいきません。本当の意味で子どもの心を育てるためには、子ども自身が悩みながら解決していくことが必要です。思春期の悩みは一朝一夕には解決しません。何ヶ月も悩み続けることもあるでしょう。しかし思春期の遠回りは、不器用な子どもたちには必要不可欠なこと。親としては、苦労させたくないと近道を教えたくなるものですが、あえて遠回りをさせて見守りましょう。

家族のこと、友人のこと、勉強のこと、部活動のこと…子どもたちは成長の過程で、あらゆる問題にぶつかります。そんな悩みのさなかにいる子どもの道しるべとなり、心の支えになるのが読書です。親や周囲の大人たちがしてあげられない部分を読書経験が補ってくれると考えてもいいでしょう。

すでに述べてきた通り、読書によって真の読解力がつけば、考える力が身につき、学力は底上げされ、論理的な思考が身につきます。さらに目の前にいる人の発言や表情の裏に隠された本音や感情、真の意図を理解する力や感受する力、つまりコミュニケーション能力、またプレゼンテーション能力も高まるなど、読書することは内面の成長を支えると同時に、現実社会における具体的な評価にもつながるという効能もあります。

このように、思春期におけるあらゆる問題を解決するための下支えとなり、成長の糧となる読書。大人社会への一歩を踏み出そうとする中学生という時期だからこそ、ぜひたくさんの本を読んでほしいと思います。

第6章 おすすめブックリスト

中学生のうちに
ぜひ読んでおきたい
２０５冊

私が選んだブックリスト２０５冊を紹介します。

物語や小説を軸に、絵本、科学、思想の本など幅広く選びました。
中学生になって絵本なんて、と感じる人もいるかもしれませんが
テーマが深く、中学生だからこそ感じてほしいものがある
中学生だからこそ理解できると考えてリストに加えました。

「物語・小説」は構成上、「初・中級編」と「上級編」に分けましたが
難易度への感じ方は人それぞれです。
先入観を持たず、いろいろな本に挑戦してみてください。

※複数の会社から出版されている作品がありますが
比較的入手しやすいもの、安価であるものを基準に選びました。
※価格はすべて税込み、2012年6月現在のものです。

物語・小説　―初・中級編―

001 『ぼくはアフリカにすむキリンといいます』

岩佐めぐみ・著　高畠純・絵　（偕成社おはなしポケット）　1050円

毎日を退屈に暮らしているキリンが、ペリカンの配達屋に１通の手紙を託します。その宛先は地平線で会った最初の動物へ。そして受け取ったのはペンギンでした。キリンとペンギンの文通が始まります。手紙の温かさに（とくに大人はあらためて）気づかされます。

002 『そいつの名前はエメラルド』

竹下文子・著　鈴木まもる・絵　（金の星社）　1365円

妹の誕生日のプレゼントにとハムスターを買いに出かけたはるひこ。しかし、入ったお店は知らない商店街の奇妙な小鳥屋。結局、買い求めてきたのはなんとも不思議なペットだったのです。兄妹はそのペットを一生懸命育てていきますが…。命を育てる楽しさ、大変さを追体験させてくれる物語。

003 『白いりゅう黒いりゅう―中国のたのしいお話』

賈芝、孫剣冰・編　君島久子・訳　（岩波書店）　1680円

表題作は「黒いりゅう」に息子を奪われた父親が、自ら作り上げた「白いりゅう」に魂を入れて「黒いりゅう」を倒そうとする物語です。自然に立ち向かっていく人間の勇ましさが感じられます。他にも主に中国の少数民族が語り伝えた物語など５編。いずれも雄大で読みごたえのある作品ばかりです。

004 『山の上の火―エチオピアのたのしいお話』

クーランダー、レスロー・著　渡辺茂男・訳　（岩波書店）　1995円

ある約束のため、山頂で一夜を明かした若者の目にうつったものは、遠くの山に燃える火だった。破られた約束によって失ったものはどのように取り戻されていったのか。イスラムの文化の香りを感じられる郷土色の中に、普遍的な共感を導く作品です。他にも短編が収録されています。

005 『ほんとうのことをいってもいいの？』

パトリシア・C・マキサック・著　ジゼルポター・絵　ふくもとゆきこ・訳
（BL出版）　1365円

リビーという女の子は、お母さんにウソをついて苦しくなってしまった経験から、もうウソはつかないと決心しました。ところが本当のことを言えば言うほど友だちを傷つけることに。何よりも相手を思いやる心の大切さが伝わります。本当のことってなんだろうと一緒に考えることができる絵本。

006 『たいせつなこと』

マーガレット・ワイズブラウン・著　レナード・ワイスガード・絵
うちだややこ・訳　（フレーベル館）　1260円

空、風、雨、花、毎日使っている道具など、当たり前すぎてつい見過ごしている自然やものと人との関わりに気づかせてくれる絵本。シンプルにものごとの本質を教えてくれます。表面的な複雑さに見えなくなっていたものに対する視点が定まってくる感覚。じっくり読み味わってほしいですね。

007 『いつでも会える』

菊田まりこ・著　（学研）　998円

死んでしまった飼い犬からのメッセージ。子どもに死について教えるのは難しいこともありますが、この本を読むことで、最愛の存在の死とどう向き合うかというヒントをもらえ、また自分なりの死というものへの解釈の入り口ともなるのでは。悲しいけれどどこか救われる作品です。

008 『きみのかわりはどこにもいない』

メロディー・カールソン・著　スティーブ・ビョークマン・絵　徳永大・訳
（いのちのことば社）1470円

新約聖書「マタイの福音書」にあるストレイシープを題材にとった絵本。迷ってしまった１匹の羊を、残りの羊や羊飼いたちが大捜索を始めます。いなくなった１匹が大事なのだという思いが伝わります。読み方はいろいろですが、読者にはぜひ羊飼いの立場になって考えてほしいと思います。

009 『わたしのいもうと』

松谷みよ子・著　味戸ケイコ・絵　（偕成社）1260円

妹をいじめにより亡くした姉の立場から書かれた作品。いじめた同級生たちはそんなことも忘れて、中学生、高校生になっていく…そんな少年少女たちへの批判的な気持ちが伝わります。ものごとに対して批判する心が育つ思春期の子どもたち、真面目にものごとを考えたい人に。

010 『リトル・ウイング』

吉富多美・著　こばやしゆきこ・絵　（金の星社）1260円

主人公は不器用でできないことがたくさんあるけれど、両親は温かく見守っている小学４年生の少女・苺。

いっぽう夏実は何でも完璧にこなすことを親から求められています。夏実を救いたいと思った苺…。読者は自分のそれまでの経験を踏まえて読むと、より深く感じるものがあるはず。

011 『からくり夢時計—DREAM ∞ CLOCKS』

川口雅幸・著　（アルファポリス）1575円

小学６年生の少年、聖時の家は時計店です。ある日、店の作業部屋で何かの鍵を見つけます。たまたまそこにあった時計にはめてみると、年が離れていて仲の悪い兄がまだ子どもだった時代に…。自分の知らない過去を知ることで自らが成長する経験は、読者にもきっとあるのでは？

012 『永遠の夏休み』

折原みと・著 （ポプラ社） 1365円

小学6年生の4人の少年たち。仲間が山で死んでしまいました。残された3人が亡くなった友の遺志をついで、親には秘密の旅に出ます。伝説の水「天命水」を探しに…。友だちとの結束、亡くなった友への思い、大切なことを成し遂げようとする志が読み手を引っ張ってくれるでしょう。

013 『ぼくと未来屋の夏』

はやみねかおる・著 （講談社） 2100円

1学期の修了式に風太は未来屋を名乗る猫柳さんに出会います。そして実際に起こった未来に連れて行ってくれると言うのです。未来屋によって次々と難問が解決していくという、奇想天外な冒険物語。武本糸会さんによるマンガの原作。マンガを知っている子は多いかもしれません。

014 『すみ鬼にげた』

岩城範枝・著 松村公嗣・絵 （福音館書店） 1575円

唐招提寺の金堂の四隅の柱に、すみ鬼が挟まれています。300年前、大工見習いの少年が金堂から聞こえる鬼の泣き声に気づきます。すみ鬼の「日本の鬼と戦いたい」という願いを叶えるため少年が手助けをするのです。奇想天外なストーリーに引き込まれます。

015 『建具職人の千太郎』

岩崎京子・著 田代三善・絵 （くもん出版） 1365円

江戸時代の終わりごろのこと。7歳の千太郎は鶴見村の建具屋へ奉公に出されることになりました。建具職人になるのを嫌がっていたものの、やがて気持ちが動かされ、腕のよい建具職人になることを目指すようになっていくのです。千太郎が人の心に支えられ、成長する姿が読み手の心に響きます。

016 『七草小屋のふしぎなわすれもの』

島村木綿子・著　菊池恭子・絵　（国土社）　1365円

森に囲まれた七草小屋で、主人公の草介は不思議な忘れ物の箱を見つけます。草介と山の様々な動物たちとの、ユニークで心あたたまるエピソードを、じっくりと楽しんでください。雄大な自然と人間との交流をめぐる６編の物語が収録されています。

017 『両親をしつけよう！』

ピート・ジョンソン・著　岡本浜江・訳　（文研出版）　1365円

新しい学校に転校したけれど、そこは成績のことしか考えていない先生と子どもたちばかり。実は、勉強が嫌いな主人公。転校は両親の差し金だったらしいのです。自分なりの目標を持っている主人公は、なんと親を自分の思い通りに「しつけ」ようとします。この逆転の視点が実に興味深い作品。

018 『ピトゥスの動物園』

サバスティア・スリバス・著　宇野和美・訳　（あすなろ書房）　1365円

病気になったピトゥスという少年の莫大な治療費をまかなうため、町の子どもたちが１日だけの動物園を開園しようと四苦八苦します。やがて町をあげての一大イベントが繰り広げられていくのです。いろいろな問題が巻き起こる展開に一喜一憂し、気づいたら物語の世界に浸っていることでしょう。

019 『お父さんのラッパばなし』

瀬田貞二・著　堀内誠一・絵　（福音館文庫）　735円

子どもたちはお父さんのほら（ラッパ）話が大好きです。お父さんの語るラッパ話はたとえばお父さんが馬賊になって活躍したり、恐竜に出会ったとか、中東で大泥棒を捕まえたり…。ディテールにわたって見事なウソを並べ立てるのですが、そこにある言葉の紡ぎ出す豊穣さを体感してほしいと思います。

020 『鬼の橋』

伊藤遊・著　太田大八・絵　（福音館書店）　1470 円

妹を亡くした少年、篁（たかむら）は、ある日妹が落ちた古井戸から冥界の入り口へ。そこにはそれぞれ痛みを抱えて生きる人々との出会いがありました。人間と異界の者との心の交流、そして鬼たちとのかけひき。平安時代に元服を迎える思春期の少年の、揺れ動く心と成長が描かれています。

021 『ぼくはだれもいない世界の果てで』

M. T. アンダーソン・著　ケビン・ホークス・絵　柳田邦男・訳　（小学館）　1680 円

少年は「世界の果て」でラバとともに暮らしていました。あるとき、そこに男がやってきて、その土地をレジャーランドに変えてしまいます。アトラクションができ、多くの子どもたちもやってきました。しかし、少年はそんな「楽しい世界」に違和感を覚えるのです。本当に大切なものは何かということを、考えさせてくれる物語です。

022 『しあわせの子犬たち』

メアリー・ラバット・著　むかいながまさ・絵　若林千鶴・訳　（文研出版）　1260 円

エリザベスは夏休みにおばあちゃんの農場へやって来ました。そこで犬の出産に立ち会うことになります。子犬は６匹。本当に必要としている人のところにもらわれていくよう、エリザベスとおばあちゃんは飼い主を探します。人間と犬の関わりが見えてくる作品。本当に欲しい人に飼われる犬の幸せを実感できます。

023 『ビーバー族のしるし』

エリザベス・ジョージスピア・著　こだまともこ・訳　（あすなろ書房）　1575 円

時はアメリカ開拓時代。主人公の少年と父親はその森にやってきて住んだ初めての白人です。生活の基盤を整えたところで、父親は母と妹を迎えに行ってしまうのです。その間少年はネイティヴ・アメリカンの少年と出会い、交流を重ねます。言葉や文化の違う現地の人達との友情が描かれています。

024『アンドロメダの犬』

今井恭子・著　石倉欣二・絵　（毎日新聞社）　1365円

父親が死んでしまい、おばあちゃんの家に引っ越してきた少年。新しい学校になじめずにいたところ、人間の言葉を話す不思議な犬が現れました。犬は宇宙からやってきたと言うのです。犬と少年の関係、時間というものが効果的に取り入れられていて、実に楽しい物語です。

025『りゅうのたまご』

佐藤さとる・著　村上勉・絵　（偕成社文庫）　735円

主人公の少年はみそっかすの六男坊。彼が不思議な匂いのする侍を助けるところから始まります。侍は、においの原因は竜のたまごを触ったからだと言うのです。少年は竜のたまごを探しに行き…。物語の展開がとても鮮やかな作品です。小学校高学年ころからじゅうぶんに楽しめることでしょう。

026『はじめての文学　浅田次郎』

浅田次郎・著　（文芸春秋）　1300円

若い読者へ向けた、作家による自選作品集。本書には５作を収録。どれも浅田次郎らしい物語。とくに「XIE（シエ）」という作品がおすすめ。飼っていた猫を亡くした女性が伝説の生き物シエを譲り受けます。シエが女性の孤独を癒し…。物語の醍醐味を堪能できる一冊。

027『ミカ！』

伊藤たかみ・著　（文春文庫）　580円

小学校６年生の主人公ミカ。双子のユウスケとの小学校生活の様子が描かれています。二人は「オトトイ」という不思議な生物を飼っています。そのオトトイがいなくなり…。思春期のミカが大人の世界へ足を踏み入れ不安定に。ユウスケの目からミカの成長を描いているところが面白い作品です。

028 『フラワー・ベイビー』

アン・ファイン・著　墨川博子・訳　（評論社）　1680円

学校で「フラワー・ベイビー（小麦粉袋の赤ちゃん）」を3週間世話をするというとんでもない理科の課題が出ました。ところがサイモンはすっかりはまってしまいます。そしてこれをきっかけとして家を出て行った父親のことを考えるように…。少年の心の成長、内面が鮮やかに描かれています。

029 『ぼくがぼくであること』

山中恒・著　（岩波少年文庫）　756円

口うるさい母親、優秀な兄妹の中でひとりだけダメな子だった秀一が家出し、行く先々でいろいろな出来事に遭遇する物語。失敗して落とし穴にはまってしまうこともあるのですが、やがて自分の足で立つことの意味を理解します。子どもの成長とその心理がよく描かれています。

030 『ちいさなちいさな王様』

アクセル・ハッケ・著　那須田淳・木本栄・訳　（講談社）　1365円

大人になると小さくなる世界…人間の世界とはすべてが逆なのです。小説の中ではありますが、このような世界に触れることで、読者は一つの考え方に囚われていたことに気付くことでしょう。親から少しずつ離れていく思春期の子どもたちが、自分なりの価値観に向き合うときの支えになる書。

031 『時計坂の家』

高楼方子・著　千葉史子・絵　（リブリオ出版）　2100円

疎遠になっていた祖父の家を訪れた少女は、屋敷で鍵がかかっている扉を見つけました。そしてある夜扉が開くと、そこには神秘的な庭園が。少女は祖父母が生きていた時代にタイムスリップをしたのでした。そこで手に汗握る事件が展開し…。わくわくしながらスリルを追体験できる作品。

032 『十二歳』

椰月美智子・著　（講談社文庫）　500円

現在進行形の12歳の子どもたちが、日々の出来事に対して心を震わせたり、泣いたり、怒ったり。等身大の小学6年生の1年間が、読みやすく描かれています。大好きなポートボール、気になる異性…。中学生であれば「ああこういうこともあったな」と少し前の自分を振り返ることができるでしょう。

033 『ある日犬の国から手紙が来て』

田中マルコ・著　松井雄功・絵　（小学館）　1260円

死んだ犬たちが楽しく暮らしている「犬の国」。そこにいる犬から悲しんでいる飼い主に「次のコを飼っていいよ」という手紙が届きます。自分たちより早く死んでいく犬を、飼い主は悲しく送らなければいけません。もしご家庭で動物を飼っていればきっと心に響きます。絵本仕立てなので読みやすい。

034 『夏を拾いに』

森浩美・著　（双葉文庫）　800円

父親が子どものころの思い出を息子に話して聞かせます。昭和46年のひと夏の経験が、自分の息子とうまく重ね合わせるように描かれているのです。読者は父親の言葉を通して、自分の少し前の少年時代のことを振り返るきっかけにもなるはず。この本の魅力はそこにあります。

035 『少年の木～希望のものがたり～』

マイケル・フォアマン・著　柳田邦男・訳　（岩崎書店）　1470円

子どもたちの遊び場だった場所が破壊され、鉄条網がはりめぐらされました。そこで少年が見つけた小さな緑の芽。その芽は大きな木に育ちますが、兵士たちによって根こそぎ抜かれてしまうのです…。理不尽な力に希望を踏みにじられる社会の中で、ひとすじの希望を感じさせてくれる絵本。

036 『おとうさんのちず』

ユリ・シュルビッツ・著　さくまゆみこ・訳　（あすなろ書房）　1575円

絵本作家シュルビッツの自伝的物語。戦火を逃れて避難した家族の生活は苦しいのですが、ある日父親が買ってきたのはおなかの足しにならない地図！　父親は地図を貼って父子で地図の中の旅を始めます。食べることだけでなく、心を豊かにすることも大切だと気づかせてくれる絵本。

037 『名探偵カッレくん』

アストリッド・リンドグレーン・著　尾崎義・訳　（岩波少年文庫）　714円

探偵を夢見ている少年カッレ君が、ある日エイナルおじさんの怪しげな行動を見かけ、捜査を開始します。のどかな町の日常の裂け目からカッレ君がのぞき見たものとはいったい…？　少年同士の固い友情と、大人の裏の世界の恐ろしさを巧みに交えた、痛快な物語です。

038 『ギリシア神話　オリンポスの神々』

遠藤寛子・文　（講談社青い鳥文庫）　651円

ギリシア神話には、世の中のいろいろな物語の原型があります。物語の古典ともいえるでしょう。読むことで自分の心のあり方や動きがわかりやすい形で理解できるはず。ギリシア的な知や語源などはヨーロッパにも流れ込んでいますので、教養的な知識ともつながっていくことでしょう。

039 『泣けない魚たち』

阿部夏丸・著　（講談社文庫）　540円

小学６年生の少年たちが、川とともに少しずつ成長していく物語。小学生の子どもたちのごく普通の日常が描かれています。川で遊ぶ中で仲間たちといろいろなことを経験し、ときに悩み、苦しむのです。作者の阿部夏丸さんは川やそこに暮らす生き物にとても詳しいので、都会の子どもには新鮮かもしれません。

040 『鼻』

芥川龍之介・著 「羅生門・鼻・芋粥」所収 （角川文庫） 380円

日本の古典『今昔物語』が原典の物語。鼻が異常に長い男が周囲の目をひどく気にする辛さが描かれています。人が気にする以上に自分が気にしているというコンプレックスは、誰にでもあること。劣等感を感じやすい年代の読者にとっては、他人事ではないと感じるかもしれません。

041 『風』

伊藤整・著 （21世紀版少年少女日本文学館「母六夜・おじさんの話」所収）（講談社） 1470円

主人公と2歳年上のまた従兄弟の二人の少年の物語。あるとき二人は同じ女の子に恋をするのです。ところが主人公の心を知らない少年は、自分の気持ちを託した手紙を女の子に渡してほしいと頼むのですが…。少年たちの心理がとてもよく描かれている、味わい深い物語です。

042 『リリース』

草野たき・著 （ポプラ社） 1365円

父親の遺言で医師を目指していた主人公の少年は、本心はバスケットボールの選手になりたいと思っていました。しかし兄の裏切り、バスケ部での問題などから自分が守ろうとしていたものが崩れ去るのを感じます。自分は何のためにがまんしているのか。読者は自分と重ねて読めるはず。

043 『ボーイズ・ビー』

桂望実・著 （小学館） 1365円

母親を亡くし、小学6年生の少年は6歳の弟のめんどうを見ています。母の死をどう伝えればいいのか悩みながら。そんなとき靴職人の老人と出会い、「がまんできないことはがまんしなくていい」と言われたことで心が軽くなり…。抱えきれないがまんはしなくていい、というメッセージが伝わる物語。

044 『なまくら』

吉橋通夫・著 （講談社文庫） 580円

幕末を生きる少年たちの姿を描いた短編集。表題作は、主人公の矢吉がなかなか定職につけず自己嫌悪に陥るという話。時代は異なりますが、少年の心理が表現されています。そして読み手に希望をも感じさせてくれます。何をやっても身につかないというのは、多くの子どもたちが抱えているのでは？

045 『おちくぼ姫』

田辺聖子・著 （角川文庫） 460円

日本の古典文学を田辺聖子さんが、深い味つけでリライトしている作品。『落窪物語』は『竹取物語』や『源氏物語』などの後の時代に書かれているので、ストーリーにもひねりがあり面白いのです。継母にいじめられている可愛い女の子の成長と恋の物語は、中学生ころの子どもにも興味深く読めるでしょう。

046 『四十一番の少年』

井上ひさし （文春文庫） 560円

母親と別れて東北のキリスト教系養護施設に預けられた子どもの成長を描いている自伝的作品集。表題作にある「四十一番」とは、少年の洗濯札の番号のこと。読者とはまったく異なる境遇の少年ではありますが、子どもの孤独感や大人の理不尽さには大いに共感できるところがあるでしょう。

047 『自転車少年記―あの風の中へ』

竹内真・著 （新潮文庫） 460円

ある日、親友同士の少年たち３人が自転車に乗り始めます。自転車ラリーに出場するなどチャレンジをしていく中で、少年たちがいろいろな経験を通し、ときに屈折しながらも成長していく物語。中学生ごろの子どもが共感すること間違いなしです。読書が苦手でもきっとスムーズに読めるでしょう。

048『マイマイ新子』

高樹のぶ子・著（マガジンハウス）1680円

何ごとも新鮮に映る9歳の少女、新子の目を通し、家族や周囲の人々との交流が様々に描き出されています。高度成長期直前の昭和30年代は冷蔵庫もテレビもまだ普及していないけれど、どこか豊かな時代。当時の価値観や社会の様子は、大人は懐かしく感じますが子どもたちには新鮮なのでは。

049『フクロウはだれの名を呼ぶ』

ジーン・クレイグヘッド・ジョージ・著　千葉茂樹・訳（あすなろ書房）1365円

フクロウを守るため森では木の伐採が禁止され、父親が職を失った。息子はフクロウに敵意を抱き撃ち殺そうと出かけていきます。そこでフクロウのひなを拾うのです。父子はフクロウのひなを育てることで、傷ついた心が救われます。読み進むうちに自然と人間の関係をも感じさせてくれる物語。

050『ヨハネスブルクへの旅』

ビヴァリー・ナイドゥー・著　もりうちすみこ・訳（さえら書房）1365円

幼い妹が重い病気になってしまった。衰えていく姿を見かねて、主人公の少女とその弟が、350キロも離れたヨハネスブルクで住み込みで働いている母親を訪ねて旅をします。しかしときはアパルトヘイト時代の南アフリカです。二人は様々な差別や矛盾の中に放り出されるのです。

051『あたしの中の…』

新井素子・著（コバルト文庫）520円

著者のデビュー作品群。表題作は、主人公が目を覚ますと病院にいて、バスの転落事故に巻き込まれて奇跡的に助かったと言われるストーリー。でも本人には記憶がありません。自分はいったい誰なのか？

他3編もいずれも神秘的であったりSFのスパイスが効いていたりと、小学生から大人まで楽しめる作品。

052『算法少女』

遠藤寛子・著　（ちくま学芸文庫）945円

江戸時代に算法を広めるために書かれた物語の現代版。父親から算法の手ほどきを受けていた娘は、やがて藩主に認められ、算法指南役になろうとするのですが…。当時の人々の算術に対する熱い思いが感じられます。算数ができる喜びを追体験できるので数学が苦手な人にこそおすすめ。

053『どろぼうの神さま』

コルネーリア・フンケ・著　細井直子・訳　（WAVE 出版）1890円

預けられたおばの家を出てイタリアのヴェネチアへたどり着いた兄弟は、お金持ちの家で盗みをはたらきそれを帰る家のない子どもたちに与えている少年と暮らし始めます。ところが様々な事件が起こり…。物語は息もつかせぬ見事な展開。長編ですが、読み始めたら一気に引き込まれる物語です。

054『不思議を売る男』

ジェラルディン・マコーリアン・著　金原瑞人・訳　（偕成社）1575円

主人公の少女エイルサが出会った男が、エイルサの母の古道具屋で働くことになりました。この男が客に古道具の由来をまことしやかに語り客を引きつけます。その話の面白さには読者も魅了されるはず。1話ずつ書かれているので、読書が苦手な子は1日1話ずつ読み進めてもいいでしょう。

055『幽霊の恋人たち―サマーズ・エンド』

アン・ローレンス・著　金原瑞人・訳　（偕成社）1785円

思春期にさしかかっている3姉妹が主人公。そこに突如現れた旅人が、彼女たちの家に居つくようになります。そして、幽霊と恋に落ちた人間の物語など不思議な話を聞かせるという物語です。少女たちの成長ともからみ合う中で語られていくので、女の子はとくに読みやすいと思います。

056 『マルコヴァルドさんの四季』

イタロ・カルヴィーノ・著　関口英子・訳　（岩波少年文庫）　714円

イタリアの代表的作家の作品の中でも、思春期の子どもにすすめたい作品。マルコヴァルドは大家族を養うお父さん。職場と家を行き来する毎日ですが、その道中で季節の変化や生き物たちの様子などに心奪われ、やがて空想の世界が広がっていきます。日常の中の自然にも目を向けるきっかけとなる書。

057 『南の島のティオ』

池澤夏樹・著　（文春文庫）　520円

南の島に暮らしているティオの目を通し、南国の世界、そこに暮らす人々、観光客、精霊など、豊かでプリミティブな世界が小編によってつづられています。読者も日常とは違う文化を持つ島の自然やその奥行きに感動し、豊かな自然に心洗われることでしょう。

058 『百枚のドレス』

エレナー・エスティス・著　石井桃子・訳　（岩波書店）　1680円

ポーランドからの移民の女の子が、家に百枚のドレスがあると言い張り、級友たちから距離を置かれます。その背景には、知らず知らずのうちに、毛色の違う人間を孤立へと追い込む集団の力が働いていました。その実態を強く非難するでもなく、絵と語りから徐々に実感させる内容です。

059 『ぼくのお姉さん』

丘 修三・著　（偕成社）　1260円

丘氏は、ハンディキャップとともに生きる人々を、ごく自然に社会の中に描きだしています。人間のさまざまなありようと触れ合い、交流・交感することで、私たち一人ひとりの生きる力を温かく包み込み、見えなかったものが見えてくるのです。

060 『すいかの匂い』

江國香織・著 （新潮文庫） 420円

11人の少女たちの夏の記憶の物語の、短編連作集。それぞれの子どものころの個人的な体験がつづられています。中には人にはちょっと言えないような体験も。子どもならではの感性がちりばめられています。中学生が読めば、ついこの間小学生だったころの記憶への橋渡しになることでしょう。

061 『卵と小麦粉それからマドレーヌ』

石井睦美・著 （ポプラ文庫ピュアフル） 567円

中学校に入学したばかりの女の子。新しくできた友人との新しい生活。ところが13歳の誕生日にお母さんから「爆弾発言」が！ 主人公が友だちに悩みを打ち明けながら、お母さんの「宣言」に向き合っていく物語。様々な出来事を通して人間関係の深まりを感じさせてくれます。

062 『約束』

石田衣良・著 （角川文庫） 500円

大阪教育大学附属池田小学校で起きた事件に衝撃を受けた作者が、自分なりのメッセージを込めて書いた作品集。登場する人々はみな様々な事情で傷つき、絶望のどん底に突き落とされているのです。しかし、そこから希望の光を求めていく過程が描かれています。

063 『太陽の戦士』

ローズマリ・サトクリフ・著 猪熊葉子・訳 （岩波少年文庫） 798円

青銅器時代を背景に少年の成長を描いた物語。片腕が不自由な少年ドレムは、大人になるためには狼を殺さなければならないという儀式に、愛犬と力を合わせて立ち向かいます。少年の持つ劣等感、そこをどう乗り越えるかなど、中学生ころの読者には共感するところが多い物語です。

064『ぼくたちの砦』

エリザベス・レアード・著 （評論社） 1680円

イスラエル占領下のパレスチナが舞台の物語。12歳の少年がサッカーで世界チャンピオンになることを夢見ているのです。戦火の合間を縫って劣悪な環境でも希望を失わず、サッカーに打ち込む少年たちの姿に心打たれます。

065『サナギの見る夢』

如月かずさ・著 （講談社） 1470円

小学校最後の思い出に、映画を撮ることになりました。主人公の少年が脚本や監督を引き受けるのですが、撮影がスタートするといろいろな問題が起こります。自分たちの今の姿を映画に残したいという思いと、仲間同士の対立、そして友情。中学生ころの読者には大いに共感するところがあるのでは。

066『タイムマシン』

H・G・ウェルズ・著 金原瑞人・訳 （岩波少年文庫） 672円

SF小説の古典的作品。一人の科学者が自分の大切な人を失ってしまったことから、時間をさかのぼって助けようとするのですが…。時間を移動することの矛盾、時空を超えた愛情が伝わってきます。時空を飛び回る主人公の姿から、人間とはどういう存在なのかを見つめ直すきっかけになるはず。

067『ぼくの羊をさがして』

ヴァレリー・ハブズ・著 片岡しのぶ・訳 （あすなろ書房） 1365円

牧羊犬として働き始めたばかりの子犬が、ふとしたきっかけで売られてしまうのです。そこから彼は、様々な境遇に置かれることになるのでした。けなげな子犬の姿が胸を打つ感動の物語。目標や希望を失わないことの意味を、素朴に伝えてくれる作品だと思います。

068 『夜の朝顔』

豊島ミホ・著 （集英社文庫） 480円

小学6年生の少女たちの日々がつづられている物語。仲間、不安、痛み、恋…。ゆっくり大人になっていく少女たちを描いています。作者が自分の過去を振り返りノベライズしているような印象さえあり、『ちびまる子ちゃん』を彷彿とさせます。読者は自分にあてはめて読めると思います。

069 『友情』

武者小路実篤・著 （岩波文庫） 525円

主人公と親友の間にある友情、恋愛といった青春時代の問題をめぐる物語。登場人物がみな純粋で心打たれます。読みやすい文体なのでぜひ手に取ってほしいですね。著者の作品の中でもとくに若者たちに愛読されてきた青春小説です。

070 『僕の行く道』

新堂冬樹・著 （双葉文庫） 600円

遠く離れて暮らす生き別れの母親を求めて、小学3年生の少年が一人旅を始めます。行く先々でのいろいろな出会いや事件を通じて、彼の心の葛藤や成長も明らかになっていくのです。果たして母親とは会えるのでしょうか。結末が気になり、ラストまで一気に読み進めてしまうはず。

071 『この素晴らしき世界に生まれて』

福田隆浩・著 （小峰書店） 1470円

図書館でたまたま出会ったおばあさんに、本を読んでくれと頼まれた少女は、実はろう学校に通っていました。一冊の本から始まる物語。図書館と書物の魅力が育む、年の離れた人間同士の友情と少女の成長がしみじみと伝わってくる作品です。

072 『春さんのスケッチブック』

依田逸夫・著 （汐文社） 1470円

中学受験で何もかもなくし、父親に反発して家出をした少年は、長野県に住む春おばさんを訪ねます。そこで少年はおばさんからスケッチブックを見せられます。60年前の記憶は、少年の心をどこへ導いてくれるのでしょう。戦没画学生の作品を集めた美術館「無言館」を題材にした物語です。

073 『風をおいかけて、海へ！』

高森千穂・著 （国土社） 1365円

一枚の写真をきっかけに、二人の小学生の少年は自転車で湘南の海を目指して走ることになりました。往復で8時間という長い旅。自転車と並走する江ノ電も実に魅力的に描かれています。鉄道ファンの心をもそそる物語。友情とは何かということも、しっかり考えさせてくれるのです。

074 『百年の家』

J. パトリック・ルイス・著 ロベルト・インノチェンティ・絵 長田弘・訳 （講談社） 1995円

一軒の家の百年の歴史。そこに住む人や季節の変化などから、家の存在を浮かび上がらせていきます。丁寧に描かれた絵の美しさにも注目。絵だけ見ていても物語を喚起させるものがあります。家がだんだん古びていく様子など、日本家屋にはない石造りの文化に触れてください。

075 『ブルーバック』

ティム・ウィントン・著 小竹由美子・訳 （さえら書房） 1365円

オーストラリアの人里離れた海辺で暮らす母と少年。その暮らしが元となって少年は海洋生物学者となりました。いっぽう一人その海辺を守るべく、母親は立ち上がります。いろいろな邪念を削ぎ落した人間らしさとは何なのだろうということを、素朴に問いかけてくる作品です。

076 『ベルおばさんが消えた朝』

ルース・ホワイト・著 （徳間書店） 1575円

ある朝、ベルおばさんが姿を消してしまい、息子のウッドロウが隣にあるおじいちゃんの家に引き取られてきます。母親が失踪した少年と、父親のいない少女ジプシーとの交流。二人の友情を軸に、秘められた家族の秘密が読者に明かされていくという、感動的な物語です。

077 『あたしが部屋からでないわけ』

アメリー・クーテュール・著 末松氷海子・訳 （文研出版） 1260円

母親が亡くなってから、主人公の少女リュシーは大好きなおばあちゃんと一緒に暮らしていました。ところがおばあちゃんが亡くなり、自分の家族構成に新たな変化が起きたとき、リュシーはとうとうある行動に出たのでした。子どもの心の底に潜む寂しさについて考えさせてくれます。

078 『雨ふる本屋』

日向理恵子・著 （童心社） 1365円

病弱な妹のサラにお母さんを独占されたルウ子。ある日、大雨にあって図書館の中で雨宿りするうちに「雨ふる本屋」に偶然行き着きます。ルウ子はその本屋から、書きかけのまま放置された物語が眠る森へと、旅に出ることに。表現しづらい子供の気持ちが、とても自然に描かれています。

079 『つめたいよるに』

江國香織・著 （新潮文庫） 420円

一冊の小さな文庫本の中に、たくさんの短編がつまっています。そのどれもが、著者である江國香織さんらしさを感じさせるものばかりです。幻想的であり、心のひだに染み込むようであり、どこか懐かしくて切ない世界が広がります。デビュー作「桃子」を含む21の短編が収録されています。

080 『耳をすませば』

柊あおい・著 (集英社文庫) 630円

読書が大好きな中学3年生の雫。ある日図書カードから、自分が借りる本すべてが、ある男子によって自分より先に借りられていることに気づきます。少年への気持ちなど揺れ動く中学生の心がよく描かれています。スタジオジブリによってアニメ化されたストーリーとしても知られた作品。

081 『いもうと物語』

氷室冴子・著 (新潮文庫) 460円

昭和40年代の北海道が物語の舞台です。北海道の自然と風土の中で、少女チヅルとその家族や、チヅルの通う小学校を中心にして、様々な事件が起こります。いろいろな経験を通して少女が成長していく物語。大人たちには懐かしく、現代の子どもたちにも親近感のある日常世界が広がります。

082 『たんぽぽのまもり人』

海嶋怜・著 (メディアワークス文庫) 599円

この世の中のすべての人に、必ず一人の守護天使が付き添い、成長を見守り、ときにはささやき声で助言もしてくれる…そんな物語の設定に、まず何よりも「救い」を感じることでしょう。物語は、ある女の子とその「ガーディアン」になった男の子との心の交流を清らかに、切なく描きます。

083 『エミリーへの手紙』

キャムロン・ライト・著 小田島則子・小田島恒志・訳 (日本放送出版協会) 1365円

一人暮らしをする偏屈な老人ハリーは、孫娘だけとは息が合っていました。そして彼は亡くなる間際に詩集を書き上げます。そこには孫娘へのメッセージがパスワードとして隠されていたのです。メッセージを読み解くためにパソコンを駆使するなど現代的なエッセンスも。ほのぼのとした感動物語。

084 『時間をまきもどせ！』

ナンシー　エチメンディ・著　杉田比呂美・絵　吉上恭太・訳（徳間書店）
1470円

失敗を取り消すことができる機械を不思議な老人から手渡された少年。その後、妹が交通事故で意識不明の重体になってしまったときに、その機械を使って事故を食い止めようとするのですが、なぜか次々とトラブルが起こり…。人間の営みによって大きな時間の流れを変えられるかどうかがテーマの物語。

085 『穴 HOLES』

ルイス・サッカー・著　幸田敦子・訳（講談社文庫）620円

少年スタンリーは無実の罪で少年たちの矯正キャンプへ入れられてしまい、そこでひたすら大きな穴を掘らされます。無意味な行為に思われた穴掘りも実はそうでもないらしいことがわかり…。ストーリーは時空を越えた展開を見せます。壮大なスケールで描かれた、とても不思議な物語。

086 『ミラクルズボーイズ』

ジャクリーン・ウッドソン・著　さくまゆみこ・訳（理論社）1575円

父と母を亡くした3兄弟。長男が二人の弟たちの面倒を見ているのですが、問題は非行を繰り返す次男でした。3人の少年が困難を乗り越え、絆を深める様子が、心優しい三男の視点を通して描かれています。そんな彼らの2日間に起こった事件、兄弟たちの心のやりとりが面白い作品です。

087 『アライバル』

ショーン・タン・著　小林美幸・訳（河出書房新社）2625円

言葉による説明がまったくない絵本。絵は茶色のモノトーンで描かれ、そこに描かれた光景の中には現実にはありえないような幻想的なものも混じっています。絵から喚起され、切ないストーリーを思い浮かべることができる不思議な本を、ぜひ体験してほしいと思います。

物語・小説　―上級編―

001『狐笛のかなた』

上橋菜穂子・著　（新潮文庫）　620円

人の心を感じることができる「聞き耳」の能力を持つ少女が、霊力を持つ子狐を助けました。そして少女と子狐は、森陰屋敷に閉じ込められている少年・小春丸を救うために立ち上がります。奇想天外な幻想小説。少年への愛は少年少女の読者の心をつかむはず。

002『花まんま』

朱川湊人・著　（文春文庫）　570円

2005年度の直木賞受賞作を表題作とする数編を収録しています。子どもだった主人公が体験した不思議な出来事。どの作品においても、死や異界の神秘性に揺れ動く子どもの、みずみずしい感受性が伝わってきます。怖さと切なさと愛おしさで胸がいっぱいになることでしょう。

003『僕と1ルピーの神様』

ヴィカス・スワラップ・著　子安亜弥・訳　（武田ランダムハウスジャパン）　840円

2009年にアカデミー賞作品賞を受賞した映画「スラムドッグ＄ミリオネア」の原作。インドの最貧地区で育った少年がクイズ番組で全問正解し、史上最高額の賞金を勝ち取るのですが…。インドの貧しい人々の日常を知るとともに、少年の成長物語としても読み応えのある作品です。

004 『海に住む少女』

ジュペルヴィエル・著　永田千奈（光文社古典新訳文庫）500円

フランス版宮沢賢治と言われる小説家の短編集。一読しただけではどうもよくわからないところのある童話なのですが、なんとなく面白いという読後感。静かな世界観、孤独感、不条理さを描く中にも、その描写からはどこか優しさが感じられます。文章は難しくありませんので中学生でも十分に読めます。

005 『猫とともに去りぬ』

ジャンニ・ロダーリ・著　関口英子・訳（光文社古典新訳文庫）560円

「チポリーノの冒険」で知られている20世紀を代表するイタリアの童話作家による短編集。人間が猫に生まれ変わったり、時間をたやすく遡るなど、世間の常識を軽々と乗り越えた設定やストーリーには独特の面白みが感じられます。1編だけでもいいのでぜひ読んでほしい作品です。

006 『浦上の旅人たち』

今西祐行・著（岩波少年文庫）798円

明治時代の初期に実際にあった、日本政府によるキリシタンへの迫害を舞台に書かれた作品。キリシタンたちは罪人として捕らえられ移住させられてしまいます。たまたまキリシタンの罪人として捕らえられた男と農民の娘が恋におちて…。歴史の裏側を見るような経験ができる物語。

007 『ニコルの塔』

小森香折・著　こみねゆら・絵（BL出版）1470円

日々寄宿舎と学校の行き来をしているだけの少年ニコル。しかしニコルはそんな毎日に漠然とした違和感を感じるようになります。なんとかして脱出しようとしたときに不思議な猫が現れ…。実は記憶を消されていたニコル。いったいなぜ？　謎解きを軸に進むストーリー。

008 『楽隊のうさぎ』

中沢けい・著 （新潮文庫） 578円

自信を失った主人公が吹奏楽部に入り、大会を目指す物語。庭のことや友人関係、仲間同士でのやりとりなどが出てきます。ですから、中学生ころの子どもが読めば、自分の身のまわりのことと置き換えたりと追体験しやすい内容だといえるでしょう。長編ですが、読ませる力のある小説です。

009 『翔太と猫のインサイトの夏休み　哲学的諸問題へのいざない』

永井均・著 （ちくま学芸文庫） 924円

中学生の翔太と猫のインサイトとが、日常的なふとした疑問について対話をします。子どもなりに自分たちの精神世界とはどうなっているのか、自分の住む世界がどうなっているのか、生死や自由などについて考えさせてくれる良書です。哲学的な世界に触れるきっかけになる一冊。

010 『図書館の神様』

瀬尾まいこ・著 （ちくま文庫） 525円

自分のやりたいことが見えないまま、ある学校に赴任してきた主人公の女性教師。学校の図書館で出会った一人の男の子との対話を通して、傷ついた心が癒されていきます。二人の何気ないやりとりから少しずつ心が通い合う様子から何気ない日常の面白さ、可能性を感じられるはずです。

011 『桐島、部活やめるってよ』

朝井リョウ・著 （集英社） 1260円

5人の視点から語られるオムニバスのような小説です。部活をやめた「桐島」について、いろいろな立場から語られます。挫折、孤独といったシチュエーションの中での周囲の戸惑いなど、現代高校生のリアルな感情や生活が描かれているので、中学生でも共感する部分は多いでしょう。

012 『アーモンド入りチョコレートのワルツ』

森絵都・著 （角川文庫） 460円

シューマン、バッハ、サティ。3人の作曲家によるピアノ曲がテーマとしてつながっている短編集。表題作にあるチョコレートは子どもたちに馴染みのある味覚です。そのような味覚と音楽がいっそう感受性を刺激してくれるのです。多くの森絵都の作品の中でも、この作品は読みやすいので、ぜひ。

013 『風が強く吹いている』

三浦しをん・著 （新潮文庫） 860円

実にストレートで、心ひかれる青春小説。二人の男の子はまったくの素人ですが、突然仲間を集めて「箱根駅伝」に出たいと思い立つところから物語が始まります。中高生の支持率の高い作品。人間関係もあり、目標があり、葛藤があり、最後まで面白く読めるでしょう。読後感も爽快です。

014 『高瀬舟』

森鴎外・著 （集英社文庫） 350円

自殺未遂の弟を「助ける」ために殺してしまった兄。彼が罪に問われるかどうかがテーマの物語です。弟を助けるために殺したのが罪になるのでしょうか。殺人という生々しい題材ではありますが、実際に兄が弟を「助ける」シーンでは複雑な思いにかられるのでは。現代にも通じるテーマです。

015 『河童』

芥川龍之介・著 （集英社文庫） 360円

少し難しいところもありますが、中学生になったらぜひチャレンジしてほしい作品です。河童の世界を描くことで人間を徹底的にシニカルに見つめ、人間の尊厳がことごとく破壊されています。芥川龍之介が死を予感しつつ書いた晩年の作品の一つで、人間社会を痛烈に批判しています。

016 『山椒魚』

井伏鱒二・著 （新潮文庫） 515円

数年間岩の中にいて出られなくなっていた山椒魚。自由に泳ぎ回るカエルを洞穴に閉じ込めてしまうのです。山椒魚のカエルに対する嫉妬の気持ちや、目に見えない何かに閉じ込められているという感覚は、子どもたちもどこか共感できる部分があるのではないでしょうか。

017 『父のようにはなりたくない』

阿部夏丸・著 （ブロンズ新社） 1470円

思春期の子どもの父親の視点から書かれた短編集。作者自身も2児の父ということもあり、自らの経験を踏まえた内容です。父親が成長する子どもを見つめるという設定は珍しいのではないでしょうか。父親と距離をおきたがる思春期の子どもたちが読むことで、少しは父親への理解も深まるかもしれません。

018 『父と暮せば』

井上ひさし・著 （新潮文庫） 357円

広島で被爆し、家族を失った娘の物語。一人生き残ってしまったことを負い目に感じていた娘でしたが、亡くなった父との対話を通して、絶望の淵からよみがえります。そして若い女性らしい日々を暮らそうと悪戦苦闘する様子を描いています。大人にもぜひ読んでほしい作品です。

019 『夢十夜』

夏目漱石・著 （新潮文庫「文鳥・夢十夜」所収） 452円

十夜の間に見た夢として語られる物語。耽美的、神秘的な世界が描かれています。とくに第一話は恋愛に目覚め始める中学生が興味深く読めるのではないでしょうか。通して読まなくても、気が向いたときに一話ずつ読んでいってもいいでしょう。同時に収録されている「文鳥」もぜひ一読を。

020 『風の靴』

朽木祥・著　（講談社）　1680円

祖父に教えてもらったヨットの操縦法。祖父の死をきっかけに、13歳の海生は友人たちとヨットで海に出ます。青い空、海風、大海原の中で過ごす中で、自分の中のいろいろなものが洗い落とされていき、少年たちは少し大人になっていきます。読者と同世代の登場人物たちには共感する部分が多いのでは。

021 『明日につづくリズム』

八束澄子・著　（ポプラ社）　1365円

因島で生まれた千波とめぐみ。二人は同じ島出身の人気ロックバンド・ポルノグラフィティの凱旋ライブをきっかけに、自分たちの将来についての夢を見始めると同時に、自分たちの現実の生活を再発見していきます。島を出るとどうなるのか、自分たちの未来は？　少女たちの揺れ動く心に共感できるでしょう。

022 『シールド（盾）』

村上龍・著　はまのゆか・絵　（幻冬舎）　1575円

主人公は二人の少年です。彼らは幼いころ森に住む老人から「盾、シールドが必要だ」という言葉を覚えていました。二人はそれぞれ成長する中でその言語の意味を考えていきます。その謎とは何か、人種か国家か？　最後に自分を守るものは何かという問いかけに、読者もまた考えさせられるでしょう。

023 『思い出のマーニー』全2巻

ジョーン　ロビンソン・著　松野正子・訳　（岩波少年文庫）　各672円

アンナは気難しく、自分の殻に閉じこもっている女の子。そんなアンナが転地のため海辺の老夫婦のところへ預けられました。そこで同い年の少女マーニーと出会うのです。この出会いによりアンナの心は少しずつ開かれていきます。思うようにならない日常にも光がさす様子が描かれ、読者もまた希望が持てる物語。

024 『プールサイド小景』

庄野潤三・著 （新潮文庫「プールサイド小景・静物」所収） 546円

幸せそうな家族の様子が淡々と語られている作品。しかし読み進めるとこの家族は危機へ向かっていることがわかります。その様子の描写から、家族の関係に入った亀裂、家族の中に漂う薄氷を踏むような緊張感が伝わってくるのです。重厚な作品ですが、中学生にぜひ読んでほしい作品。

025 『だれが君を殺したのか』

イリーナ・コルシュノウ・著 上田真而子・訳 （岩波書店） 1680円

親友が亡くなった。あれは事故だったのか、それとも自殺だったのだろうか。親友の死をめぐり、一人の少年が調査に乗り出します。自分にそれを止める手立てはなかったのか…。大人たちの対応に納得できず、焦躁と絶望の中に置かれる中で、少年がたどりついた真実とは何だったのでしょう。

026 『茶色の朝』

フランク・パヴロフ・著 藤本一勇・訳 （大月書店） 1050円

ある国で「茶色のペットしか飼ってはいけない」という法律が施行され、その後も次々とすべてのものが茶色になっていく国。でも誰も反発しようとはしません…。反ファシズムの寓話として書かれた物語。読後に理不尽さが残ります。なぜ「茶色」なのかは本書の解説に詳しいのでぜひ一読を。

027 『盗まれた記憶の博物館』全2巻

ラルフ・イーザウ・著 酒寄進一・訳 （あすなろ書房） 各1995円

悪の秘密組織によって人間の記憶が盗まれ、蓄えられていきます。立ち向かうのは双子の姉弟。弟は父親を探しているうちに記憶の博物館に迷いこんでしまいます。いっぽう姉はインターネットを駆使して父を探していくのですが…。歴史的知識の幅が広がる歴史ファンタジー。

028 『包帯クラブ』

天童荒太・著 （ちくまプリマー新書） 798円

傷ついたところに黙々と包帯を巻く少年少女の物語。どんなことで傷ついたのかということが、読者自身の経験とリンクし、登場人物との共有感覚が得られます。傷ついたことを認めてもらえるだけで癒されるということに気づくのです。悲しみと痛みが包帯によって浮かび上がる作品です。

029 『嗤う伊右衛門』

京極夏彦・著 （中公文庫） 580円

ミステリー作家が新たな解釈によって現代に蘇らせた『四谷怪談』。誰もが知っているストーリーを、人情話に置き換えているところが実に面白いのです。怖いけれど読み始めたらやめられない、痛快な読み物。物語の醍醐味を感じたいという人はぜひ一読を。

030 『愛の妖精』

ジョルジュ・サンド・著 篠沢秀夫・訳 （中公文庫） 880円

日本では戦前の少女たちに愛読されていた、古典的な作品です。すごくひねくれた少女が主人公。双子の弟たちとの葛藤や、やがて出会う男性との恋に導かれていく様子、ありのままの姿を男性にぶつけながら、すばらしい女性に成長していく様子が描かれています。少し難しい本にチャレンジしたい女の子向け。

031 『子どもの領分』

吉行淳之介・著 （集英社文庫） 500円

少年と父親の二人旅に父の愛人がついてきてしまいます。父親と愛人の関係に触れないようにする心遣いと、愛人を邪魔者に思う気持ちとが交代に表れる少年の心理は、とくに中学生ころの男の子の共感を得やすいことでしょう。文学的にも格調の高い作品。短編集なので読みやすいはず。

032『バージャック—メソポタミアンブルーの影』

S. F. サイード・著　金原瑞人、相山夏奏・訳　（偕成社）　1575 円

メソポタミアン・ブルーは名門猫の一族のこと。由緒正しく代々伯爵夫人に飼われています。その中のバージャックだけは外の世界に興味を持ち、ここから脱出したいと考えていました。勇猛果敢な先祖の亡霊から、敵と戦う7つの技を伝授され…。幻想文学的要素も感じられる作品です。

033『さよなら、アルマ』

水野宗徳・著　（サンクチュアリパブリッシング）　1260 円

第二次世界大戦下の日本では、約10万匹の犬が殺人兵器として訓練され「軍犬」として人間とともに戦場へ。軍犬たちの多くは地雷や狙撃手の標的となって死んでいき、生き残った犬は戦後は置き去りに。本書を通じて、改めて戦争の悲惨さを知ってほしいと思います。

034『私の中のあなた』全2巻

ジョディ・ピコー・著　川副智子・訳　（ハヤカワ文庫 NV）　各 735 円

映画化で話題になった作品。白血病の姉のドナーとして輸血したり骨髄を提供してきた妹アナ。しかし妹は、もうこれ以上は提供したくないと拒否。腎臓の提供を強くせまる両親を相手取って訴訟を起こします。このストーリー展開には引きこまれ、最後には大きな感動が。家族の絆を考え直すきっかけにも。

035『オリーブの海』

ケヴィン・ヘンクス・著　代田亜香子・訳　（白水社）　1680 円

ほとんどつき合いの無かった同級生の女の子、オリーブが交通事故で亡くなりました。マーサは彼女が書き残した日記から秘密を知ってしまいます。祖母との関わりの中で秘密を解き明かしていくマーサ。思春期の少女が、大人になっていく様子が描かれています。

036 『名前探しの放課後』全2巻

辻村深月・著 （講談社文庫） 各 760 円

3ヶ月前にタイムスリップした主人公は、自分がいた3ヶ月先に同じ学年の生徒が自殺するということを記憶していました。しかし、誰が自殺するのかというその詳細は覚えていません。そこで、これから自殺する誰かを仲間とともに探し始めます。長編ですが飽きさせず読ませる青春ミステリー小説。

037 『ギヴァー―記憶を注ぐ者』

ロイス・ローリー・著 島津やよい・訳 （新評論） 1575 円

近未来小説。貧困も差別もなく便利さと平和に満ちあふれた世界は何かが欠落しているのです。主人公の少年は子どもたちの中でただ一人「レシーバー」という記憶を受け継ぐ者に任命されるのですが…。どんどん読み進めたくなるストーリー展開は圧巻。記憶の大切さに気づかせてくれることでしょう。

038 『非・バランス』

魚住直子・著 （講談社文庫） 470 円

小学校のときにいじめられた経験から、クールに生きていくと決めている、中学2年生の少女。あるとき出会った28歳の女性が自分の理想だと思うようになる。二人は互いに自分に欠けたものがぴったり合わさる形で心の交流をし、癒されていくという物語。同年代の少女の心理は理解しやすいでしょう。

039 『一万年の旅路 ネイティヴ・アメリカンの口承史』

ポーラ・アンダーウッド・著 星川淳・著 （翔泳社） 2625 円

アメリカ大陸に住むネイティヴ・アメリカンが口承で伝えてきた民俗の歴史の記録。はるか1万年前、ベーリング海峡が陸続きだったころ、彼らの祖先たちはアジアから北米へ渡ってきました。本書は彼らが定住地を見つけるまでの出来事を描写。文章も読みやすいので中学生なら十分に読めます。

040 『文字禍』

中島敦・著　（ちくま日本文学 12 所収）　924 円

本を読む「効能」ばかりに目が行きがちですが、この物語は本を読んでいる人しかかからない病気が中心に描かれています。活字中毒者の様子がコミカルだったり、ストーリーのオチも面白い。読書に対するユニークな視点から書かれているので、本に対するイメージが変わることでしょう。

041 『アンドロイドは電気羊の夢を見るか？』

フィリップ・K・ディック・著　浅倉久志・訳　（ハヤカワ文庫）　777 円

映画「ブレードランナー」の原作として知られている作品。長く続いた戦争のため放射能灰に汚染された地球から異星への植民計画が行われます。多くの生物が絶滅している中、生物を所有することがステイタスになる世界の物語。生命と疑似生命の違いを通して、人間とは何かを考えさせられます。

042 『パウドリーノ』 全 2 巻

ウンベルト・エーコ・著　堤康徳・訳　（岩波書店）　各 1995 円

ときの神聖ローマ皇帝フリードリヒに気に入られ養子となった農民の息子パウドリーノ。語ったことが真実になるという能力を持つパウドリーノが、その力を駆使して世界中で活躍する冒険活劇です。歴史的事実を踏まえた内容の中にフィクションが重なる、読み応えのある作品です。

043 『ブリキの太鼓』 全 3 巻

ギュンター・グラス・著　高木研一・訳　（集英社文庫）　720 ～ 840 円

3 歳のときから成長が止まったオスカルの半生の物語。サーカスの中で大人になっていくオスカルは、社会の価値観から自由な立場にあり、解き放たれた視点から世間を眺めていくのです。どんな状態であれ生きていていいのだという優しさや切なさは、思春期の悩める子どもの支えになるでしょう。

哲学・社会学

001 『はじめて考えるときのように―「わかる」ための哲学的道案内』

野矢茂樹・著 （PHP文庫） 650円

「考える」っていったいどういうこと？　やわらかなイラストとやさしい語り口を通して「考える」ことについて深く考えさせられる本。「考える」ことの不思議さ、楽しさを幼い読者にもわかるように説明してくれています。普段の生活の中でのいろいろなものごとを、親子で一緒に見つめ直すきっかけにしてほしいと思います。

002 『哲学の冒険　生きることの意味を探して』

内山節・著 （平凡社） 1050円

少年と父親の対話。冒頭で世の中とは、自分とは何か、自由になるにはどのようなことをするべきかを見つめ直します。そこからデカルト、コペルニクス、日本の哲学者や仏教の思想についてのノート作りをしていきます。自由とは、生きるとは、幸せとは何かということを深く考えさせてくれます。

003 『中学生からの哲学「超」入門―自分の意志を持つということ』

竹田青嗣・著 （ちくまプリマー新書） 861円

なぜ哲学が大事なのかが、わかりやすく書かれています。本書で取り上げられているテーマは、素朴に考えたり悩んだりするものばかり。自分とは何か、なぜ宗教は生まれたのか、人を殺してはいけないのはなぜか…。読めばきっと「ああ、そういうことなのか」と思えるはず。難しくない哲学書です。

004『友だち幻想　人と人の“つながり”を考える』

菅野仁・著　（ちくまプリマー新書）　756円

友だちとは何かということを、あらためて考えさせてくれる本。たとえば友だちを傷つけたくないという思いやりの心から、友人関係がうまくいかなくなることがあります。著者は友だちとつながるためには、許し合い意見し合うことが大切だといいます。本書は友人関係をうまく築くための指南書です。

005『カイン―自分の「弱さ」に悩む君へ』

中島義道・著　（新潮文庫）　420円

多くの子どもたちに受け入れられてきた本。自分の弱さに葛藤を感じ、悩める子どもたちへの提言。自分の弱さを自分らしさとして主張していいというアドバイスは、中学生の心に染み込むでしょう。語られている内容は哲学的な背景もあり、深いものが感じられます。

006『君たちの生きる社会』

伊東光晴・著　（ちくま文庫）　735円

日本の社会はどのような仕組みや動きで成り立っているのでしょう。経済学者の立場から、現代（実は少し前に書かれたものではあるのですが）の社会の成り立ちや仕組みを、洞察力に満ちあふれた視点からわかりやすく解き明かしていきます。大人にもおすすめの解説書。

007『永遠の空間―描かれた世界遺産』

青山邦彦・著　（彰国社）　2800円

世界遺産に登録された建造物を精密に描いています。内部も見えるように描いていて、そこに文章が添えられています。どのページも温かみのあるタッチで素晴らしい仕上がりです。世界遺産の価値や意義を感じることができます。見ているうちにきっと現地に行ってみたくなるでしょう。

008 『そうだったのか！現代史』

池上彰・著 （集英社文庫） 760円

私たちがテレビや新聞で見聞きするニュースや、社会の様々な出来事は、その背景にある歴史を知ることでより深く正確に理解することができます。本書は第二次大戦後の世界の歴史、そのニュースの背景に何があるのかということが、手に取るようにやさしく説明されています。

009 『〈いい子〉じゃなきゃいけないの？』

香山リカ・著 （ちくまプリマー新書） 735円

中学生や高校生になっても「いい子」から抜け出せない子どもが増えています。自分を押し殺し反抗できないままでいると、社会への一歩を踏み出せずに閉じこもってしまうこともあるといいます。いい子の仮面をかぶらなくてもいいよ、というメッセージを受け取ってもらえれば。

010 『人間の土地』

サン＝テグジュペリ・著 堀口大學・訳 （新潮文庫） 580円

定期郵便の飛行機乗りの過酷な経験をもとに書かれています。そこからは、人間の生き方について、格言のようなフレーズがいくつも含まれています。物語のように通して読むのではなく、拾い読みでエッセンスだけでも感じられれば十分。堀口大學の翻訳で、格調高い日本語に触れるきっかけにもなるでしょう。

011 『みんなのなやみ』

重松清・著 （新潮文庫） 662円

重松清さんが小中学生から寄せられた悩みを一緒に考え、答えている本です。悩みの内容は友人関係についてだったり、いじめ、家族についてなど人には言えない悩みまで様々です。これだという答えを出しているわけではないのですが、子どもたちの悩みに答える中で問題を共有していきます。

詩集・言語

001 『まるごと好きです』

工藤直子・著 （ちくま文庫） 777円

自分との付き合い方を提言している本。自分とどう付き合うか、どう好きになるか。とくに思春期の子どもたちは自分を必要以上に貶めたり、反対に高慢になってしまったりして素顔の自分がわからなくなっていくことが多いのです。そんな子どもたちの心に、すっと入ってくるようなエッセーです。

002 『ふしぎなことば　ことばのふしぎ』

池上嘉彦・著 （ちくまプリマーブックス） 1260円

詩や広告のキャッチコピーなどを題材に取り上げながら、ごく普通の何気ない言葉が突然輝き出すことがあることに注目させてくれる本です。ドリルなどで言葉の意味を学習するのとは違う、「生きた言葉」を感じることができるでしょう。語感を育てるためにも、ぜひ読んでほしい本です。

003 『コミュニケーションの日本語』

森山卓郎・著 （岩波ジュニア新書） 819円

日本語のニュアンスや語彙についての特徴を、幅広く、わかりやすく解説してくれています。「自分たちの使っている日本語とはどういうものなのか」というところに目を向けさせてくれるのです。実際のコミュニケーションで使う言葉について語っているので、子どもたちにもわかりやすく面白く読めるでしょう。

004 『詩に誘われて』

柴田翔・著 （ちくまプリマー新書） 798円

著者はゲーテの翻訳者としても有名。本書ではオーソドックスでかつ時勢に流されず輝き続けている「名詩」を数多く取り上げ、詩の味わい方を教えてくれています。語り口がとてもやさしく、自然な気持ちで詩を楽しむすばらしさが伝わってきます。詩が苦手と思っている人にはとくにおすすめです。

005 『おもしろ古典教室』

上野誠・著 （ちくまプリマー新書） 756円

わかりにくい印象の古典を、自分なりの感受性や面白さを自由自在に連関させ、古典の楽しみ方を教えてくれる本。古典を自分自身に引き付けることで面白く読めると感じ、古典を楽しむ意義を自分なりに見つけることができることでしょう。こんなユニークな古典教室もあっていいと思います。

006 『くじけないで』

柴田トヨ・著 （飛鳥新社） 1000円

90歳を過ぎて詩を書き始めた、98歳の詩人の作品集。実感したことを素直に言葉にするとこんなにもわかりやすく深いのだ、ということをあらためて教えてくれるような気がします。小学校高学年から中学校にかけての最も多感で気難しい時期に触れてほしい詩集の一つです。

007 『ある子どもの詩の庭で』

R.L. スティーブンソン・著 間崎ルリ子・訳 （瑞雲舎） 1575円

冒険小説『宝島』で一世を風靡したスティーブンソンが、子ども時代の憧れや夢をうたった66編の詩が、新訳で出版されました。子どもならではの視点に、同じ少年少女たちは共感を覚えるのではないでしょうか。詩情を見事に表現したイラストや装幀もすばらしいので、ぜひ手に取ってみてください。

008　『子どもたちの遺言』

谷川俊太郎・田淵章三・著　（佼正出版）　1575 円

子どもたちの写真に子どもの言葉や心の表れとして、谷川さんの言葉が添えられています。まるで子どもたちの声がそのまま飛び出してきそうで、一緒に遊んでいるような気持ちにさえなるのです。人間が誰しも成長とともに失っていく子ども時代への、いわばオマージュともいえる作品です。

009　『汚れつちまつた悲しみに…　中原中也詩集』

中原中也・著　（集英社文庫）　380 円

中原中也の詩は、凛々しさの中に寂しさ、孤独感が深くたたえられています。悩み多き思春期の子どもたちであれば、どこか共感できるのではないでしょうか。詩を読むことになじみがない人が多いと思いますが、きっと一部のフレーズだけでも心に残るはず。難しく考えず、とにかく読んでみてください。

010　『詩のこころを読む』

茨木のり子・著　（岩波ジュニア新書）　903 円

長年にわたって詩を書き、また多くの詩を読んできた作者が、とくに自分の好きな詩について書いた本。文章自体が美しい鑑賞文になっていて、言葉の美しさがひしひしと伝わってきます。同時に、与えられた命に対して自然と気持ちが向き、救われていくでしょう。命の大切さをも感じられる本。

011　『オトナ語の謎。』

糸井重里・ほぼ日刊イトイ新聞・著　（東京糸井重里事務所）　1365 円

大人の世界で使われている、意味のあるようなないような言葉の言い回しが基本から応用まで説明されています。大人の世界は謎めいた言葉で溢れていて、辞書には載っていない様々な意味も込められているもの。大人の世界の生きた語彙がリアルに感じられるのです。

科学・生物学・数学

001 『世界を、こんなふうに見てごらん』

日高敏隆・著　（集英社）　1365 円

有名な科学者が、昆虫や動物の生態から人間をつつむ自然環境を見直してみようという視点がユニークな本。身近な生物に目を向けるきっかけにもなるでしょう。とてもわかりやすい文章なので、気負わず読めるはず。きっと新たな視点で世界を見る面白さに気づけるのでは。

002 『春の数えかた』

日高敏隆・著　（新潮文庫）　452 円

春が来ると植物も昆虫も動物もいっせいに活動を始めますが、いったいどうやって春が来るのを感じているのでしょうか？　この本はそんな自然の不思議に目を向けさせてくれるエッセー集です。1年を通した季節の移り変わりやリズムに気づくことができ、自然を見る目が豊かに育まれます。

003 『科学と科学者のはなし―寺田寅彦エッセイ集』

池内了・編　（岩波少年文庫）　714 円

身近な自然や世の中の出来事をつづったエッセー。科学者の目から見た、三陸沖地震や大津波についての記述もあり、昔の科学者のものごとを見る視線、とらえ方は私たちに強く訴えかけます。

004 『動物はすべてを知っている』

J・アレン・ブーン・著　上野圭一・訳　（ソフトバンク文庫）　670円

98年に刊行された『人はイヌとハエにきけ』を文庫化。あらゆる生き物とコミュニケーションできることに気づいた著者が、ハエとの間に芽生えた友情などについて語っているところは実に面白く読めます。生態系、自然、人間以外の動物たちに注目することは、日常の視点の切り替えにもなるでしょう。

005 『動物の死はかなしい？　元旭山動物園　飼育係がつたえる命のはなし』

あべ弘士・著　（河出書房新社）　1260円

旭山動物園元飼育係の絵本作家が、飼育するという立場からあえてペットなど動物の死への悲しみにとどまりすぎることのないように語りかけます。また、著者自身が中学生だったころ、自分の将来の進路をどう考えていたかというところに触れている部分も、興味深く読めることでしょう。

006 『クマにあったらどうするか―アイヌ民族最後の狩人姉崎等』

姉崎等、片山龍峯・著　（木楽舎）　1600円

アイヌ最後のクマ撃ちである姉崎等さんへのインタビューをまとめた本。クマにあったときの対処法はもちろん、アイヌの文化について深く語られています。クマに人生を学んだという姉崎さんの言葉は印象的。異文化体験にもなりうる書だといえます。

007 『マタギに育てられたクマ―白神山地のいのちを守って』

金治直美・著　（佼成出版社）　1575円

誤って母熊を殺してしまったマタギが、その償いに遺された小熊を育てることになりました。本書は600年以上もの長い歴史を誇る大然マタギの子孫の生活を記録したノンフィクション。生活や伝統とともに、独自の文化を持つマタギの自然との関係が具体的に、温かく描かれています。

008 『海は生きている　自然と人間』

富山和子・著　（講談社）　1470円

自然と人間の関わりがテーマとして貫かれています。生命を生んだ海について歴史的に解説し、人間と海との関係、これからの時代における地球規模での海との付き合い方を考えさせてくれます。子どもに向けられたやさしい語り口。子どもが世の中を見る目をも育ててくれるでしょう。

009 『おはようからおやすみまでの科学』

佐倉統、古田ゆかり・著　（ちくまプリマー新書）　819円

テレビや携帯電話などごく日常的に使っているものの成り立ちや仕組みについて、科学的な視点から書かれています。使っている道具の中のどこにどのような技術が生かされているのか、生活と科学の結び付きについて、専門的になり過ぎることなく、向き合わせてくれます。大人にも読んでほしい本。

010 『世界で一番美しい元素図鑑』

セオドア・グレイ・著　武井摩利・訳　（創元社）　3990円

元素の写真集。巻末には美しい元素周期表もついています。実に幻想的で美しい写真が並んでいます。元素について著者による独特の説明も添えられていて、読み物としても楽しめるでしょう。元素の持つ立体的な美しさを教えてくれるので、化学が苦手な子でも思わず引き込まれると思います。

011 『眠れなくなる宇宙のはなし』

佐藤勝彦・著　（宝島社）　1470円

「人間は宇宙をどういうものとしてとらえてきたのか」という歴史が語られている本。宇宙の誕生、古代の宇宙観から最新の宇宙技術など、様々なテーマがわかりやすく書かれています。思春期は多くの子が自分とはかけ離れた世界にも関心を持ち始める時期。ぜひ壮大な科学の世界にも触れてほしいと思います。

012『人類が生まれるための12の偶然』

眞淳平・著 （岩波ジュニア新書） 819円

ビッグ・バンから始まり、太陽や地球の誕生、そして地球に大気が生まれ生物が命の営みを始める……。いくつもの偶然が現代に到るまでの壮大な歴史の中にあるということを、わかりやすく解説しています。なぜ自分がここにいるのかということを、このような大きな視点から考えるのもよいのでは。

013『なぜめい王星は惑星じゃないの？』

布施哲治・著 （くもん出版） 1260円

2006年の夏、めい王星は惑星から準惑星へと「格下げ」されました。この変更の裏には、様々な科学の進歩が貢献しているのです。本書は、惑星から準惑星になったできごとをわかりやすく説明しています。ものごとへの科学的視点を養うとともに、子どもを科学好きにしてくれることでしょう。

014『地球の形を哲学する』

ギョーム・デュプラ・著 博多かおる・訳 （西村書店） 2940円

古来から私たち人類は地球に対してどのようなイメージを持ってきたのでしょうか。伝説に登場する地球の姿、科学者が描いた地球の形など、その移り変わりを楽しいしかけとともに理解できる絵本です。登場する地球の姿の中には、読者が実感として納得できるものもあるのではないでしょうか。

015『ロウソクの科学』

ファラデー・著 三石巌・訳 （角川文庫） 540円

「ファラデーの法則」で知られている偉大な科学者が、少年少女たちに向けて行った講演の記録。「なぜロウソクは燃えるのか」に始まり熱力学まで、わかりやすく面白い語り口で説き、読者を科学の世界へいざないます。世界中で愛読されてきた超ロングセラー。中学生なら十分読めるはずです。

016 『鏡の中の物理学』

朝永振一郎・著 （講談社学術文庫） 588円

ノーベル物理学賞を受賞した著者による科学入門。難しい数式などは使わずに、日常的な現象を通して基本的な科学について語っています。とくに「波乃光子」を被告とした裁判劇では、量子力学がわかりやすく解説されています。科学の面白さが感じられる名著。

017 『眼に見えない物』

湯川秀樹・著 （講談社学術文庫） 693円

湯川博士の著書の中でも名著と言われている一冊。ここでは物理学について、その原理などが、公式などは使わずにわかりやすい言葉で書かれています。自然科学的なものの見方や考え方などについても語られていて、理科が苦手な人でも科学の世界の魅力に気づかされることでしょう。

018 『アインシュタインが考えたこと』

佐藤文隆・著 （岩波ジュニア新書） 819円

「光の速さで走ったら光はどう見えるのだろう」「時間が伸びるとか縮むとか長さが変わるってどういうことなの？」というような、日頃私たちが疑問も感じずにいることがらをモチーフに、物理学をわかりやすく解説している本。難解な相対性理論でさえわかりやすく説明しています。中高生向け。

019 『マックスウェルの悪魔』

都筑卓司・著 （講談社ブルーバックス） 1029円

物理学におけるエントロピーの概念というと抽象的で難しいイメージですが、本書ではわかりやすい言葉で解説されています。読み進めるうちにエントロピーの概念が、感覚的に理解できるでしょう。子ども向けではありませんが、物理学に疎くても、挫折することなく読み切れるはずです。

020 『算数がメチャとくいになれる本―秋山仁のおもしろ授業』

秋山仁・著 （小学館） 893円

算数を言葉によって説明している本。具体的な例を示し興味を持たせてくれています。小学校で算数が苦手だったという中学生にもおすすめ。算数の勉強のためというのではなく、楽しい読み物として読めるでしょう。そして読み終わったときには、算数に必要なセンスを感じ取ることができているはず。

021 『数学ひとり旅』中学１年～３年

榊忠男・著 （太郎次郎社） 各2625円

中学生になって、急に難しくなってつまずく子どもが多い数学。本書はつまずきやすいところにも丁寧に付き合ってくれる数学の解説本です。どう教えていいかわからないという保護者が読むのにも最適です。一人で楽しく読めるように物語風に書かれているので、楽しく理解できます。

022 『森へ』

星野道夫・著 （福音館書店） 1365円

長年アラスカで暮らしていた写真家の星野道夫。アラスカやカナダの原生林の世界、森の中で出会ったクマの親子など、美しくも迫力のある写真からは、生きた命の営みそのものが自然だということに気づかせてくれます。私たちもまたその自然の中に生きていることを再認識できる作品。

023 『科学の扉をノックする』

小川洋子・著 （集英社文庫） 480円

作家の小川洋子さんが、科学のスペシャリストたちに直接話を聞いています。太陽系の秘密、鉱物、DNA、筋肉…などテーマはさまざま。小川さんが感じている素朴な疑問をそのままぶつけているので、科学に疎い読者でも十分理解できます。とても読みやすく、しかも奥の深い秀逸な一冊。

エッセー・随筆

001 『ガラスの地球を救え―二十一世紀の君たちへ』

手塚治虫・著 （光文社　知恵の森文庫） 460円

手塚治虫の最後のエッセー集。私たちが暮らしている地球を、これから先どうやって守っていけばいいかというテーマから、ごく身近なことまで幅広く書かれています。自らに残された時間を感じながら、まだ見ぬ世紀への思いが込められており、未来を担う子どもたちには必読書といえるでしょう。

002 『ぼくはこう生きている　君はどうか』

鶴見俊輔・重松清 （潮出版社） 1000円

哲学者である鶴見俊輔さんの、幼少期のことや若くして抱いた価値観などが、小説家である重松清さんとの対話の中で引き出されています。鶴見さんの話を通して、読者は自分のことを見つめ、不完全なありようを許していける心境になれることから、多感な子どもの心にも強く訴える本だといえます。

003 『読書からはじまる』

長田弘・著 （NHKライブラリー） 872円

詩人である作者が読書とは何かということについて書いている本。読書の価値を、かみくだいた言葉でわかりやすく説明しています。人生の見方を教えてくれたり、自分自身と向き合う方法を教えてくれるのも本。本が人生を開いてくれるという著者の考え方には、私自身も深く共感するところがありました。

004 『今この国で大人になるということ』

苅谷剛彦・編著 （紀伊國屋書店） 1785円

内野正幸、菅野仁、斎藤環、島田裕巳、茂木健一郎他、さまざまな分野で活躍する16人の大人からの、若者へ向けたメッセージ。大人になるということをキーワードに、それぞれの専門分野からこの国の未来像について語っています。茂木健一郎さんのページは、とくに一読をすすめたい内容。

005 『オンリーワン ずっと宇宙に行きたかった』

野口聡一・著 （新潮文庫） 500円

中学生にはぜひ夢を持ってほしいと思います。本書は少年時代に宇宙へ行くんだという夢を持ち、現実にした野口聡一さんの体験記です。自尊感情を持ちにくい思春期は夢を諦めてしまいがち。そんなときこそ、夢を持つすばらしさがストレートに伝わってくる本を読んでみてください。

006 『旅人 ある物理学者の回想』

湯川秀樹・著 （角川ソフィア文庫） 620円

日本人初のノーベル賞受賞者である湯川秀樹の自伝。注目すべきは湯川博士の読書経験の深さです。物理学者になるという志を立てた直後から日本の古典文学など、実にたくさんの本を読んでいます。偉大な科学者の読んだ本の中から、あなたが読みたいと思える本が見つかるかもしれません。

007 『「自分の木」の下で』

大江健三郎・著 （朝日新聞社） 630円

ノーベル賞作家の著者が初めて子ども向けに書いた本。生きることとは何か、作家になったのはなぜかというような自身の人生の足跡をたどりながら、生きるときの指針について子どもたちにやさしく語りかけています。悩める子どもたちへの思いを込めたメッセージが伝わってくるのです。

008 『わたくしが旅から学んだこと 80過ぎても「世界の旅」は継続中ですのよ！』

兼高かおる・著 （小学館） 1575円

海外旅行が一般的でなかった時代に、世界を旅するテレビ番組に出演し、庶民の憧れの的だった著者がいろいろなエピソードを紹介する中で、異文化交流、常識の違いなどについて語っています。異文化交流の中から自分自身を見つけるきっかけにつながる作品。写真も豊富で楽しい。

009 『若き日の友情―辻邦生・北杜夫往復書簡』

辻邦生、北杜夫・著 （新潮社） 1890円

旧制高校時代に出会った二人が、その後長きにわたって交流を続けます。本書には、その二人が高校時代からやりとりしてきた手紙がそのまま記録されています。今の高校生と比べるとその考え方などは「大人」だなと感じるところもありますが、どこか高校生らしい純粋さも。一つの友情のあり方を知ってもらえる本。

010 『未来形の読書術』

石原千秋・著 （ちくまプリマー新書） 777円

たとえば『電車男』とか『三四郎』などいろいろな小説を具体的に取り上げつつ、読み方や感じ方について解説しています。興味深いのは読者に焦点があたっているところ。ストーリーに引きずられるのでなく、「自身がストーリーを感じる読み方」を提唱しています。本をどう読んでいいのかわからないという人に。

011 『少年とアフリカ 音楽と物語、いのちと暴力をめぐる対話』

坂本龍一、天童荒太・著 （文春文庫） 600円

作曲家と作家の対話。第１章では自らの少年時代について、第２章は作曲家が訪ねたアフリカという視点から語っています。少年時代において二人がそれぞれ自分の少し特異な個性に気づき、生き方に悩んだ様子も語られていて興味深いのです。若い読者は共感を持って読めることでしょう。

012 『旅に溺れる』

佐々木幹郎・著 （岩波書店） 2100円

作者が国内外を旅して、そこで触れたものごとについて綴ったエッセイ集。風土や歴史に思いをこめたり、そのときに感じたことを記しています。よくあるテレビの旅番組とは違う、それぞれの地域に接する姿勢や思いが伝わってきます。旅に出るまえに一読してほしい旅行記。

013 『風の帰る場所—ナウシカから千尋までの軌跡』

宮崎駿・著 （ロッキング・オン） 1680円

映画監督である宮崎駿への12年間に行われた5本のインタビューを、丁寧に記録しています。「ナウシカ」「トトロ」「千と千尋の神隠し」はどのように生まれたのか。それぞれの映画の秘密に迫ります。本書を読んでから宮崎映画を見ると、また違った解釈や観点を持つ手がかりになるはずです。

014 『バン・マリーへの手紙』

堀江敏幸・著 （岩波書店） 1890円

バン・マリーとは「湯せん」または「湯せんなべ」を指すフランス語。この作品は「湯せんをするような」という意味が裏側にあるエッセー集です。ものごとに対する大切な感じ方、考え方が書かれています。奥深くまで火を通す湯せんのように思い出がつづられるさまは、フランス映画を見ているときのようです。

015 『海からの贈物』

アン・モロウ・リンドバーグ・著 吉田健一・訳 （新潮文庫） 452円

作者がある島に滞在していたときのエッセー。章ごとに浜に打ち上げられる貝殻の名前がつけられていて、日頃忘れているようなこと、気にもとめないようなことが半生を振り返りながら書かれています。作品を読んだ後は、ぜひ子どもたちにも旅先から日常を振り返るような経験をさせてあげてください。

ノンフィクション

001 『がんばれば、幸せになれるよ―小児がんと闘った9歳の息子が遺した言葉』

山崎敏子・著　（小学館文庫）　460円

5歳で小児がんを発病し9歳で亡くなった直也くんが、病床で語り続けた言葉を母・敏子さんがつづった本。家族への思いやり、生きたいという思いがあふれています。中学生ころの子が、少し前の自分と重ねて「自分はこんなこと考えていたかな」と振り返りながら読めるでしょう。

002 『電池が切れるまで―子ども病院からのメッセージ』

すずらんの会・編　（角川文庫）　500円

子どもたちが院内学級で描いた絵、詩や作文を集めた詩画集です。小さいお子さんから中高生まで。すでに亡くなったお子さんの作品も含まれていますが、作品を通して命に向き合って生きている子どもたちの姿が垣間見え、生きる力を感じられます。1冊読み通さなくても、1ページ見るだけでも。

003 『ダギーへの手紙―死と孤独、小児ガンに立ち向かった子どもへ』

キューブラー・ロス・著　アグネス・チャン・訳　（佼成出版社）　1260円

9歳で小児がんにかかった少年とターミナルケアにかかわった医師である著者との交流。生とは？死とは？その先にあるものは何なのか。確実に死ぬと思っている子どもの心が交流を通して深化していきます。子どもなりに死の重さ、悲しさをどう克服していくかというところに一定の指針が見えてきます。

004 『そんな軽い命なら私にください―余命ゼロ　いのちのメッセージ』

渡部成俊・著　（大和書房）　1470円

著者は、2001年にすい臓ガンを発病。その後2005年に転移性肺ガンを再発して「余命1年半」を宣告を受けました。2008年に亡くなるまで「余命ゼロ」の時間を使いながら、全国を精力的に講演して回ります。命の灯がまさに消えようとする著者の、自殺を思いとどまってほしいという思いを受け止めて。

005 『深夜特急』全6巻

沢木耕太郎・著　（新潮文庫）　420～460円

インドのデリーからイギリスのロンドンまでアジアを横断する列車に乗り、旅をする物語。行く先々での文化の違い、まだ見ぬ世界への憧れや旅情が掻き立てられます。電車マニアをうならせるような電車の魅力も書かれています。行ってみたい、乗ってみたいという思いになるのでは？

006 『横浜少年物語―歳月と読書』

紀田順一郎・著　（文藝春秋）　1700円

小説家であり評論家でもある著者が、昭和20年代前後に横浜で過ごした少年時代を回想して書いた本。意外にも読書についてはオクテで、本格的に読むようになったのは中学生からだったのだそう。今、読書と縁遠いと思っている人も、きっかけがあれば読書に向かう機会があると思わせてくれます。

007 『青春漂流』

立花隆・著　（講談社文庫）　540円

著者と様々な職業につく若者たちが夜を徹して語り合った記録。読んでいく中でその中の一人に自分をなぞらえることができるのでは。思春期の読者にとっては、自分の少し先を行く若者が何を考え、つまずき、何をきっかけに立ち直ったのかが見え、興味深く読めるのではないでしょうか。

008『バスラの図書館員　イラクで本当にあった話』

ジャネット・ウィンター・著　長田弘・訳（晶文社）1680円

戦火の中、イラクのバスラの町で、女性図書館員アリアが、図書館の蔵書から三万冊を、近所の人々の助力を仰ぎ自宅に避難させた実話。戦争が日常にどう忍び寄るかということがよく分かります。また、文化が違っても、人々の考えることは同じだということに、勇気をもらえる作品です。

009『冬のデナリ』

西前四郎・著（福音館文庫）945円

著者自身によるデナリ（マッキンリー）登頂の過酷な一部始終を書き起こしたルポルタージュ。零下50度、風速毎秒50メートルの山稜でのビバークなど、厳冬期の冬山の迫力が余すところなく伝わってきます。登頂に関わった隊員たちの「その後」の記述にも興味をひかれることでしょう。

010『流れる星は生きている』

藤原てい・著（偕成社文庫）735円

昭和20年8月。満州で夫と引き裂かれた妻と3人の子どもが、過酷な状況の中で引きあげてくる様子が書かれたノンフィクション。日本人の話ですが現代の中学生にとっては異文化の世界に思えるかもしれません。筆力があり読者は必ずや引き込まれることでしょう。夫は作家の新田次郎氏。

011『ニュースの現場で考える』

池上 彰・著（岩崎書店）1260円

中学生は、初めて自分と向き合い、将来へと思いを馳せる時期。ニュースキャスターという仕事を選んだ池上さんの、子供時代や社会人としての駆け出しの頃の姿に、生き方に迷う不器用で一途な自分自身が重なり合い、魅了されることでしょう。

012 『ぼくは13歳 職業、兵士。—あなたが戦争のある村で生まれたら』

鬼丸昌也、小川真吾・著 （合同出版） 1365円

ウガンダで少年兵として拉致された子どもたちにインタビューしています。捕らえられ兵士として鍛えられている少年たち。差別や貧困という問題が弱者をより痛めつけることに気づかされます。こういう人生もあるのかと目を開かされるのではないでしょうか。

013 『戦場から生きのびて ぼくは少年兵士だった』

イシメール・ベア・著 忠平美幸・訳 （河出書房新社） 1680円

平均寿命が一番短い国としても有名なアフリカのシエラレオネ。12歳から15歳まで少年兵だった著者が、ユニセフに救われてアメリカへ行き、立ち直るまでの体験をつづった作品。日本の中学生とは境遇が違いすぎますが、生きぬいた人間の書いた言葉の重みを感じてもらえれば。

014 『ガラスのうさぎ』

高木敏子・著 （金の星社） 1155円

東京大空襲で母と妹を失った作者が少女時代の体験をつづったノンフィクション。その後父親も戦争で失った少女の体験を通して、当時の状況や、生き抜いてきた人々の気持ちが伝わってきます。12歳の主人公が感じたことは、現代においても同世代の読者の気持ちと重なるところがあります。

015 『月のえくぼ（クレーター）を見た男 麻田剛立』

鹿毛敏雄・著 関屋敏隆・絵 （くもん出版） 1470円

江戸時代の天文学を確立する原動力となった麻田剛立とはどのような人物なのか。月面に数あるクレーターの中の「クレーター・アサダ」は、まさに麻田剛立のこと。埋もれた存在ですが、実は実地観測の能力の高さはもちろん、薬学者としても優秀だった人物の生涯が読みやすく書かれています。

おわりに

ものごとへのネガティブなまなざしと、親（大人）への反抗を中心とする、思春期の子どもたちの言動やふるまいには、辟易するものがあります。しかし、そのような彼らへの〈架け橋〉となれるのが、本です。

本の中には、彼らにとってとても身近で、しかも解決しにくい問題が登場し、それに対する主人公たちのユニークな行動と、周囲の大人たちからのアプローチが描かれます。また、さまざまな社会的な問題や事件、自然災害などに対する、科学者や専門家たちの実際の対処や卓越した考えと、じっくり向き合えるのも本を通じてです。

「すべきこと」から逃げたくなる
「前向きさ」に堪えられなくなる
「面白いこと」を追い求めたくなる
「努力」なんて、やっても無駄なのだから、価値がないと決めつけるすべて、根は一緒ですが、このような思いの中、彼らは悩み、迷うのです。その深さは底知れなく、長さはいつ果てるともしれぬものですが、一方で、その状態から抜け出したいと最も強く願っているのもまた彼ら自身です。

若さはいうまでもなく諸刃の剣です。

しかし子どもたちは、実はひたむきに何かを求めているのです。私たちにできることは何でしょう。大人然と、していいこと、悪いことを教え諭すことでしょうか?私は違うと思います。そんなことは彼らの心に届かぬ、空しい行いに過ぎません。

むしろ私たち大人が、自分の子どもや近しい若者たちに伝えるべきことは、自分たちの子どものころにも、中途半端さ、やりきれなさを感じていたよ、ということではないでしょうか。そして、読書とは、子どもたちへ「こんな本があるよ」と言うことで、私たち自身が学んだことを伝えられる最善の手段なのです。

子どもたちが抱え込んでいる他人に言えない苦悩や悲しみも、本を通して他者と共有できることを、彼ら自身、実感することでしょう。

読書には、言葉にならないつらさや切なさが、そのまま心をむしばむことから子どもたちを守り、真に他者と関わっていく絆へと変える力があります。その力こそ、これからの私たちの生き方に切実に求められているものではないでしょうか。

最後になりましたが、感謝を申し添えたいと存じます。編集の中西彩子氏とライターの竹中裕子氏には、今回も限りないお力添えをいただきました。

また、麻布学園の生徒や卒業生たちに。君たちなくしては、伝えたいことなどそもそも生まれ得なかったと思います。

そして、娘の千尋に。いつも花のような笑顔と楽しい会話をありがとう。妻の貴子へ。あらかじめ一読してもらった君から「あなたにも読んでほしい」と言われたことは、最大級の賛辞だと受け止めています。これからもよろしく。

その他、この本に携わってくださったすべての方々、そしてさまざまな書物（の著者）たちに。

２０１１年５月

中島克治

中学生のための読解力を伸ばす魔法の本棚

2011年7月3日　初版第1刷発行
2012年6月27日　第4刷発行

著者　中島克治

発行者　森田康夫

発行所　株式会社小学館
〒101-8001　東京都千代田区一ツ橋2-3-1
電話　編集　03-3230-5170　販売　03-5281-3555

印刷所　萩原印刷株式会社

製本所　株式会社若林製本工場

ISBN 978-4-09-840123-9